カレンの台所

滝沢カレン
Karen Takizawa

sanctuary books

はじめに

毎日食べる物だからこそ
もっともっと楽しくていい
たまには適当になっちゃっていい
たまには頑張っちゃってもいい

数字に惑わされずに
ただ自由に絵を描くように
料理をしたらいい

目と親友になってさ
目が計りになってさ
最後は味見に任せりゃいい

基礎も　決まりも　間違いも　答えも
ないのだから

自分だけの味
自分だけの作品があっていい

今日失敗したら
また明日、
いやまた次作るとき
頑張りゃいいのだから

台所はあなたと食材たちの舞台
始まりも終わりも自分たちで彩れる

“何を作ろうかな”
が、毎日のちょっとした
ワクワクした時間になりますように

料理を始めるスタート地点にいたり
料理と久しぶりに顔を合わせる中間地点にいたり
料理の楽しさを忘れて迷路へ彷徨っていたり

そんな自分に助け舟を出したい方へ、
この本を手のひらに置いてはいかがですか？

料理は決して、誰かの道を辿る事はしなくっていいんです
だから100%この通りに作ってくださいなんて言いません

“こんな抜け道もあるんだぁ”
という発見がてら見てもらえたら嬉しいです
（余計に迷ったら謝る）

料理って楽しくて
たまに笑えちゃって
たまに今日はめんどくさいなって日もあっちゃいますが、
内臓たちへのご褒美だと思います

動いてくれた感謝を込めて

明日の自分を笑わせるために

目次

鶏の唐揚げ

ヘルシーに見えてそうじゃない、
高カロリーに見えてそうでもない、

どちらも決めるのは胃袋ですってことにします。

今回はただただ食べたい、知らない人を知らない唐揚げを久しぶりに作ってみました。

油物がほんとは大好きで、でも油物はカロリーやら太るやらと可哀想な扱いされがちなので、なるべく外では油物を食べないで家で自分が作るときだけは食べていい、という決まりにしてます（たまにはご飯屋さんでもそりゃ食べる）。

なぜなら、やはり味付けから肉の種類、油まで全部自分で確認できるからです（こだわり強そうに見えてそこまで強いわけでもないのでご安心を）。

誰だって熱い油は嫌いだが、口に入れる油は大好きですよね。
私もその１人です。**「油物こそ、目でみろ、自分で作れ」**と言ってるのが私で、これは家系が続くかぎり言い伝えに残したいです。

私が家で唐揚げを作るときのお決まりをご紹介します。

唐揚げは鶏もも肉がおすすめですので、ご自分の食べたい分だけお買い上げください。それを子どもの頃に集めたガチャガチャサイズくらいの形に切ります。

私は味が濃いのが好きなので、今から話すことは味濃いと思いながら聞いてください。
薄いのが好きな方はこれから話すよりは自分で決めてくださいね。

そうしましたら、スタートです！

まず、透明度まではいかないがスーパーでよく見かけるしもらうビニール袋を二重にします（豪快な方はジップロックなど）。
そこに冷たい何も知らない鶏肉を入れてあげます。

やれやれとボッタリくつろぐ鶏肉に、上からいくつかかけ流していきます。
まずリーダーとして先に流れるのは、お醤油を全員に気づかれるくらいの量、お酒も同じく全員気づく量、乾燥しきった粒に見える鶏ガラスープの素を、こんな量で味するか？ との程度にふります。
入れすぎても入れなさすぎても、あまり変わるわけではないので気にしすぎもよくないです。

そして匂いが取り柄なにんにくすりおろしかチューブ、生姜すりおろしかチューブを、鶏肉ひとつに**アクセサリーをつけるくらいの気持ち**でつけてあげてください。
あとはごま油をご褒美あげるくらいにします。

最後に気前よく塩胡椒して鶏肉への刺激は終わります。
順番は自由です。

そうしましたら開きっぱなしの入り口を柔らかく結んでください。
あとでまた開けます。

自分が二の腕気にして触ってるくらいの力で鶏肉をさらに最終刺激します。
男のみなさんは自分の力を見せない程度にしてあげてください。

うわっこりゃすごい色だ！と濃さや匂いに驚かれてる方は、15分くらい冷蔵庫で冷やしたらもう漬けるのをやめましょう。

わぁもういい匂いだお腹すいた！と笑顔になる方は、そのまま30〜60分冷蔵庫にて鶏肉を休ませてあげてください。

あっという間に、待たせている鶏肉を思い出す時間になります。
面白いくらいにブったりした鶏肉があるはずです。

好き好きな入れ物に片栗粉と少しの小麦粉を入れて、潤い満タンの鶏肉を一気にパサパサ雪世界にしてあげます。

あ、その前にみなさん激熱油は用意できてますか？

私はたまにの油物なので、ここは贅沢御免でオリーブオイルを170度くらい熱々にします（飛び跳ね、指を入れるなど命かけてしないでください）。

熱々に見えなくてもそこは想像を絶する熱さです。

170度にいきましたら、パサパサ鶏肉をおにぎりを一握りの気持ちで**「いってこい」**の後押しで油へ。
すぐさま何かしらの反応を見せたら、あ、楽しくやってるな、と見過ごしてあげてください。

何の反応もしてくれなかったら一旦取り出してください。油がまだ

170度ではありませんそれは。

そして全体的に薄茶色になったら、一旦油取り紙（料理用）みたいのに移し、さらなる高温に油を熱くします。180～190度にして、懲りずにまた唐揚げを油へ沈めてください。

だんだんとキャピキャピ音が高くなってきたら、
ほんとに出してくれの合図です。

しっかりここではコミュニケーションとってください。
これ以上茶色な唐揚げ見たくない！ってタイミングでもいいです。

みなさん、「何事も早くがいい」と言われても、先に190度など高温にしてしまうと焦げたり中はまだあったまってないですから、気をつけてくださいね。

そんな鶏の唐揚げの物語でした。

安全第一で無理矢理な時は油物は控えてくださいね。
でもたまーの大量油は身体もそこまで困らないと思います。

ぜひ、よろしくお願いします。

Story

やれやれと
ボッタリくつろぐ鶏肉たちに…

お醤油とお酒を全員に
気づかれるくらいの量かけ流します。

にんにくと生姜は
アクセサリーをつけるくらいの気持ちで。

鶏肉たちを一旦取り出して、
懲りずにもう1回油へ沈めましょう。

できあがり

サバの味噌煮

身体に悪いわけがない、健康、満足、幸せ、ラッキー、全てを一瞬にしてもらうことができる、サバの味噌煮を作りました。

こちらは全て必要すぎる成分があるので、身体が一切迷惑がらずに受け入れてくれます。

そしてサバの味噌煮は私の口が数々許せる中の魚料理の一品です。
魚料理をあまりしないのですが、サバとブリなら好きで自分から探しにいく程度です。
簡単なサバの味噌煮は、私たちが国歌を歌うくらい素早くできてしまいます。

まずは、サバを熱湯にザブンと全身浴させたつもりにさせて、色が変わってふやけたんじゃないかと思う前にまた元の場所に戻して水気を何かで吸ってあげてください（キッチンペーパー濃厚）。

そうしたら、空っぽのフライパンに、水二口で飲むくらいの量と、お酒一口飲むくらいの量を入れます（飲まないでください）。

あとはお醤油を、透明の液体たちが、**やや茶色が勝つけどまだ透明っぽさもあるよね**と決着つかないギリギリに言われるくらい入れ、なんの色の変化も出さないお砂糖は、きっとここを踏んだらややジャリジャリしそうな程度入れます。
そしたら最後に、味噌のいたって小山が３つくらいフライパン上に目立つように入れます。

そして火をつけて、目を離した際に驚くほどフライパンの中が変わっていたら、サバを入れます。

そんなどこかの隙で、丸々生姜をうすっぺらい壁のようなサイズになるよう、2～3枚切りサバとお供します。
なぜついてくるかと言うと、サバから放たれるあの伸び伸び育った海の名残臭があまりに私たちを気にさせるので、生姜の限りないパワーで思い出を消します。

ちょっとした泡風呂を想像させる時です。

サバが泡風呂に沈まりかえり、気持ちよさそうに味噌もブツブツとサバと話していたら、そっと何も言わずに、ペラペラの何かで扉を閉じます（クッキングペーパー代表名）。
そしたら15分煮てできあがりです。

最後の恩返しをと、サバ味噌御殿にキリンの睫毛くらい刻んだ生姜を招待しましょう。

こんなに簡単です。
27歳にもなったので、目での喜び以上に身体の喜びを優先したくなる時にきました。
食べないダイエットは身体があまりにかわいそうですからね。

これからのダイエットは、どこもかわいそうな目にはさせませんと身体に約束でもします。

Story

熱湯にザブンと
全身浴させます。

驚くほど色が変わった
泡風呂に入れます。

味噌と気持ちよさそうに
ブツブツ話していたら、
そっと扉を閉じます。

できあがり

ハンバーグ

何をしてるんですか？ 今日の台所は、私の右手にかかれば小さな自慢にもしたいハンバーグです。
昔の掛け軸に出てきそうな山に見えてますのがハンバーグです。
積乱雲のようにそびえ立つのは、サニーレタスです。

ハンバーグだけで言うなら間違いなく年齢分以上に作っています。
なぜなら、大好きな食べ物チーズがこの世にないとしたら第１位だからです。

今日はそんなハンバーグを４～５個作るときのお話です。

今回は当たり前に混ざり合う合いびき肉、目つぶし覚悟の玉ねぎ、そして食品界のダイヤモンドな卵、あとは湯に入れるとふやけるお麩をご用意ください。

腰を上げる作業から始めたら楽ですので、最初は玉ねぎとの戦いで、あんだけ丸々と成長したというのに見るも耐えられない形にしていきます。子どもの頃に糸を通して遊んだビーズくらいにしてください。

粉々にこちらがすると、向こうは抵抗したいのか対抗してるのかでギリギリまで目つぶしスプレー出してきますので、気合いお願いします。

そうしましたら、フライパンにて玉ねぎには悪いですが、染みさせられた気持ちをバネにして玉ねぎを厳しく追求するように炒めます。
明らかな茶色になる前くらいにおやめください。

さて、みなさん大好きな手触り時間です！

ボウルに仲良し合いびき肉（私は豚 7:牛 2)、炒めた玉ねぎ、卵 1 個、塩胡椒むせるくらい、マヨネーズをハンドクリーム 1 回分くらい入れましたら、魔法のお麩を入れてきます。

お麩は子供心に戻って粉々にしていきます。
見た目は暴れん坊な私たちですが､だれも見てませんからお気にせず。

粉々なお麩は自分の手のひらだけを信じて入れてください。ちょっとやそっとの力じゃ形変わらないだろ、という時にお麩の力はいらなくなります。
まだまだ独り立ちできないくらいグラグラならお麩の力を足してください。

さぁここからは無邪気に**こんちくしょう**と混ぜてください。

遊んだあとはお片付け。を唱えながら、食べたい形にしていきます。

焼くと、恐縮したように縮まりますから自分の予想と今を考えながら形にしていきます。

待ちわびる空室なカラカラフライパンに保湿がてらにオリーブオイルをおつけください。
うっとり気分かと思えば、強火で温めていきます。

見違えたように綺麗な肉丸たちをフライパンに円卓机で話す家族のように並べていきます。

全員が窮屈じゃなく話せているなと思ったらそれをしばらく眺めてください。

1～1分30秒でしょうか。え、何勝手に洋服羽織ってんの!?と思ったら、その驚きを味方にひっくり返してください。茶色のあったかそうな洋服を着てるはずです。

あまりにコゲ茶または黒の服を着ていた場合は焼きすぎです。また次回に期待しましょう。ひっくり返したら中火にしてもいいです。

中火で1分くらい焼きましたら、急にお酒をなんの合図もせずにふりまいていきます。ハンバーグに半身浴させる量入れます。
そうしましたら、蓋を閉めて一気に蒸し風呂状態にします。弱火くらいで許しましょう。

すると屋根から汗が出てきます。この状況を7～10分見つめます。
心配な方はひっくり返し、また蒸し風呂を見下ろします(2～3分)。

あまり焼くと、頑なでわがままなハンバーグだと思われるので、柔らかく優しいハンバーグでお願いしたいです。

透明の液体が溢れ出てましたら、中までしっかり息通ってます。
赤い液体が出てきたら、まだ話終わってないと思ってください。

蓋を取ったら少し弱火から中火にしまして、最後の水分を飛ばさせてください。
あまり飛びすぎてしまうとまたカラカラフライパンに逆戻り、にだけはさせないでください。

油や肉汁や水分はやがて使うので居残りメンバーです。

ハンバーグを草、実を添えたお部屋（お皿）にお連れしたら、居残りメンバーをさらに引き立たせていきます。

同じフライパンに残り汁ありますよね？

バターを食パンにいつもながら乗せるあの量入れ、お醤油とお酒をフライパンの周りを駆け抜ける程度入れたら、みりんを潔くお醤油よりもお酒よりも入れます。最後にお砂糖を軽々しく、味に甘さを渡します。
これが和風のタレになります。おろした大根にもじゃもじゃ頭のように大葉をちらしてあげましょう。

こってりを好く方には、こちらもおすすめです。

同じく残り汁にバター、赤ワイン１杯飲む量、お砂糖心ばかり、ケチャップ、ウスターソースを目ん玉２個分くらい、お醤油を使ったか使ってないか誰も分からないくらい入れて煮詰めます。
ワサワサとして明らかにゆるやかなスピードになったら、ソースのできあがりです。しっかり赤ワインのアルコールを天に天にと飛ばしてください。
ハンバーグにかけて、最後になんの状況も知らずに急遽冷蔵庫から呼ばれた生クリームをふっかけて完成です。

ハンバーグはこう思うとふんだりけったりな調理はされてますが、口に入れば私たちを幸せの絶頂に運んでくれて、
まさかあんな目にあってたとはと思わせてくれます。

さよなら。

Story

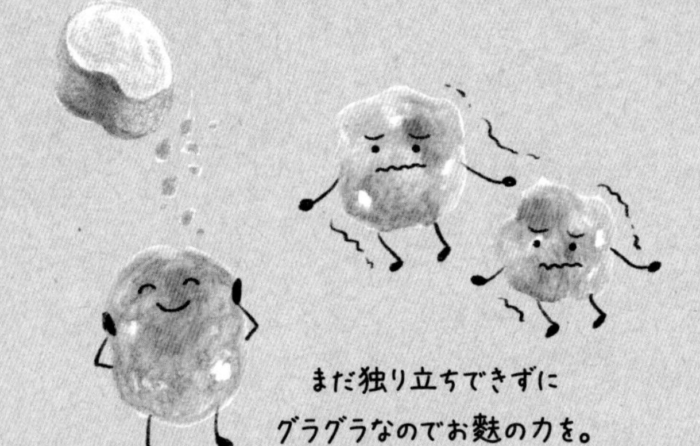

まだ独り立ちできずに
グラグラなのでお麩の力を。

家族全員が窮屈じゃなく話せていたら
しばらく眺めます。

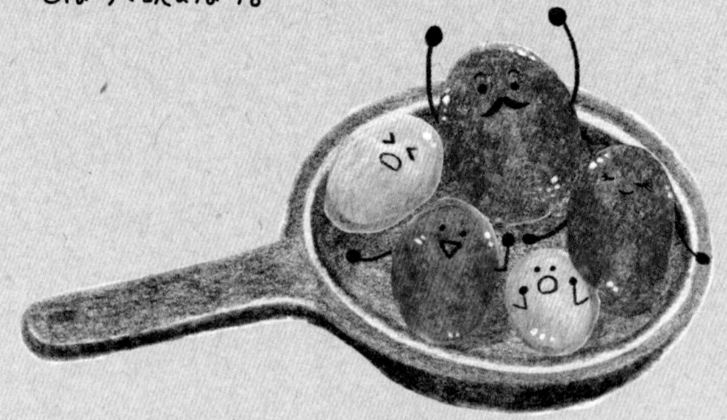

茶色いあったかそうな洋服を着ていたら
ひっくり返してあげましょう。

できあがり

中華丼

今回はお皿に群がる窮屈な料理になりました。まったく間取り知らずの私です。
本日は誰もが主役、いやみんなが脇役なのか迷うほどの目立ちたがりがいない中華丼にしました。うずらの卵がやや奥行き出してきてるのですが、それをうらやましがる食材すらいませんので、私も安心な家族喧嘩はありません。

集まってもらったのは、見たら買いたい豚バラ肉、永遠と野菜室を小粋な顔で行ったり来たりする玉ねぎ（永遠と言ったって腐らせてはいない)、椎茸、冷凍してれば安心なイカやらすぐ力を抜く白菜、人参です。これらをこん食いしたいなと思える形にスリムにお刻みください。

まな板はいつも１人で横たわってるので、一気に来た仲間たちにやいやいと声を出しているような音してました（自分次第)。
まぁこんくらいで口に運びたいなと**『個人差♪個人差♪』**とつぶやきながら切っていただけたらいいと思います。

そうしましたら、フライパン大または鍋を火にお願いします。
油を入れたら、まずは赤い顔でそこにいる豚肉を炒めてください。
豚肉の怒りがおさまったら、味の旨味を持ってないフリしてしっかり持っている玉ねぎと硬くて噛めやしない人参を優先させてください。

もうさすがに噛めるでしょ、という自分らのタイミングでその他の野菜を全て入れます。どんなに早く入れすぎても、作っているものは口に入れるものです。必ず食べられますからご安心ください。

全ての力を奪い、ヘトヘトな姿を真上からご覧ください。
そこにオアシスを差し上げるつもりで、単なる水を人に出して恥ずかしくない量、絶対正義のお醤油を水に負ける量、お酒はお醤油のあとを追って、パサパサ粒の鶏ガラスープを片手で楽しめる程度入れます。
そうしましたら、あったら最高なのですがオイスターソース（牡蠣のソース）をほんの差し入れ程度入れてください。

そして私たちの大好きなお砂糖は入れたか入れてないかくらいの量を全体にふりまかして、もう右も左も分からなくさせてしまうくらい混ぜてください。するとだんだんと左右上下分からなくなった食材たちがぐちぐちしてきます。その隙にうずらの卵を入れてください。

あとは塩胡椒するもよし、しなくても誰も何も言いません。ここまではまだ味を薄くもできますし、濃くもできます。本当にその味でいいか決める瞬間です。

決まりましたら、ついに魔法の粉、片栗粉の出番です。
小さいコップかなんかに、水と片栗粉を混ぜてあげてください。
粉だけがゴツゴツ残らないように白が勝つ透明感になったら、少しずつフライパンまたは鍋の中に入れます。一気に入れたり、混ぜないと、ゴツゴツのむったり団子みたいなものになるのでご注意ください。

この時、私たちの手は止まらずにずーっと構ってあげます。ゆっくり背中を押すように回します。するとピチャピチャしていた鍋中が、時間が止まったかのように動きがゆっくりしはじめます。音もしません。
え？　なに？　なに？と驚いてるうちに食材たちは閉じ込められたように表情を無くします。そうなったら完成です。

白いお米たちにはとんだ重い熱布団だと思いますが、ぜひかけてあげてください。焼きそばにかけてもいいですし、全て自由にしてください。

p.s. 竹の子も入っている。

Story

仲間たちは
「個人差♪個人差♪」と
つぶやきながら切ります。

全ての力を奪い、
ヘトヘトな姿を真上から
ご覧ください。

魔法の粉を入れてしばらくすると
閉じ込められたように表情を無くします。

できあがり

豚の生姜焼き

私と言えばという人はまだいないですが、いつかそうなりたい豚の生姜焼きを作りました。本当に大好きで、豚肉が好きなんだか生姜が好きなんだか、玉ねぎが好きなんだかで迷ったところ、全て好きだからこの料理の好きさに気づきました。

そんな生姜焼きの物語は、あっという間に思えてけっこう扱い回したなというくらい頑張ってくれたと思います。

スーパーを陣取る豚肉をまずは仲間にします。豚肉にはどんな姿であろうと美味しくいただけることが胸を張って言えますので、豚バラでもモモでも肩ロースだろうが小間切れだろうが、本当に頭の回転がいい豚肉は変身上手に、私たちに手間をかけさせません。

あとは野菜室に居座りがちな玉ねぎを呼んで、クラスメイトにいたら嬉しい生姜が形を集めるだけです。**少人数なのに爆発的な結果を出せる、まさにクラスの人気者たちの作品**になりそうです。

豚の生姜焼きでいちばん大切なことは、漬けることです。

あの透明とは言えないもらえるビニール袋、または銀か透明なボウルかチャック付き密閉袋をご用意ください。

豚肉は切るなら切ってください。仲間を作れば作るほど食べやすくなりますからね。そして玉ねぎは半分だけ使いますから、半分はまたもや野菜室へ。

目の前の玉ねぎをまた半分にします。半分はみじん切りをしてマンモス学校にしてあげて、半分はスリムが集まる薄切りメンバーにしてあげてください。みじん切りといってもハンバーグを作るわけではないのでどんなに大雑把な手つきでも許されます。

そして生姜は本当の形をした生姜がおすすめできます。それを申し訳ないですが、引っかかる壁に生姜のほっぺを押しつけてスリスリさせ違う形にさせていきます。これは多めだと美味しいですが、全部入れることは絶対ないので生姜の香りに楽しめるくらいでやめてくださいね。

では楽しい漬かり時間です。うま味風呂に浸からせ、その味を豚たちのものとさせるので、いつもより濃いめに味をつけていきます。

なんらかの袋に入れるのは、当たり前に豚肉、玉ねぎ全て、生姜です。台所でふり向けばあるお醤油を、まず豚肉たちが足湯ができるくらいの量入れ、お酒をさらに肩まで浸かるほど入れます。

みりんは入浴剤入れる程度に入れたら、ハチミツで潤いを少しあげ、さらにお砂糖を少ないからみんなで分けてね、ってくらいふりまかします。せっかく気持ちよく浸かっていたのですが、ここからは出たくても出られなくなることを、まだあのメンバーは何も知りません。

そっからは漬けるだけ漬けていきます。30分から半日漬けたっていいですし、忘れて次の日まで漬けたっていいです。ただ忘れないでほしいことは、この手放してる間どんどんどんどん中の物たちは濃くいかつい味へと変身してることだけです。びっくり驚くのは自分です。

手放し終わって、冷蔵庫で冷えた身体を熱したフライパンにオリーブオイルを絵描きのように広げたら、一気にあったまった鉄板にドバッと天地分からなくさせます。

ガシャガシャかき回さずに、自力で姿に焼き目がつくギリギリまで私たちは助けません。ひっくり返す助けだけはしましょうね。

全身焼き目がつき成長したなと思ったら、最後に少しだけ、私たちが大好きなガシャガシャかき回しで火や味を周りに染み込ませたら、もうお皿に移しても味を忘れない豚たちがいます。

そしてキャベツは千までいかなくても500切りくらいして、水に沈めておきましょう。あとはマヨネーズを端っこに仲間に入れたら完成です。

意外にも経験豊富な豚の生姜焼きでした。

Story

生姜をスリスリさせます。

漬ければ漬けるほど、パワーアップします。

焼き目がつくギリギリまで、
助けません。

できあがり

エビチリ

みなさん、こんばんは。
本日は真っ赤な沼で楽しむエビチリを作りました。
エビチリのチリにあまり強がりにならず、勇気を持って気を抜いていきましょう。
生でも冷凍でもお好きな海老をお呼びください。

海老の噛めない部分や口で嫌な思いをするなら先に済ませましょう、ということで、海老を丸々食べられるまでに自分の手を使い成長させます。
丸々裸になった海老には、ご褒美としてすった生姜とお酒をふりまかしてあげます。

浸かっていることをいいことに、まな板でははみ出し覚悟の長ネギが横たわっています。
緑の部分に角が２つあるように、白い部分も足長ネギにしてあげるよう真っ二つに切ります。今の時点で、足の長い緑ツノが生えた激細さんになっているはずです。
足を４本にすればなお細かく切れますが、２本で充分です。

それを白い部分をひたすら切ると、**海老に発注頼まれていたのか**という名刺が大量に作られていきます。
小指の爪サイズの名刺ができたら、ご褒美を受けたがっている海老に息が詰まる片栗粉を水に溶いてかけてあげといてください。
少しで大丈夫です。

そうしましたら、フライパンが**真っ赤に染まった夕日**になるように作り上げていきます。

新たな職場という名の、滑らかに海老が楽しめるオイルを引いたら、海老をヘラなどで存分に滑らせたりひっくり返したりしてあげてください。
海老にしっかり火が通ったことを見逃さないでいくと、お次に名刺配りでネギを入れます。
海老は**こんなに名刺あっても困るよ**というように逃げますが、名刺という名のネギは海老にくっついて離れないくらい入れると美味しいです。

その隙に、ケチャップで荒らしが入ります。
ケチャップで海老たちにラグガキをしたら引き下がり、お次に辛さしか取り柄がない豆板醤（トウバンジャン）をケチャップまでとはいかないがやや力を出すビー玉程度入れます。
辛さが苦手な方は少なくて大丈夫です。

そこにお待ちどおさまと、お湯を二飲み程度入れます。
やや赤が目立つ浅沼になったら、お砂糖とお酒をケチャップには到底及ばない腰が引けた遠慮さでちりばめます。
あとは、なんの味を持ち上げてるか誰も知らないが、いつもなんとなくふる塩胡椒をまたふります。

全て一気に入れたって、できあがればこっちのもんですからね。
リーダーになる調味料、締めを飾る調味料はご自分で列を作ってください。
そしたら、また動きを止めていきます（中華料理は動きを止めがち）。

片栗粉＆水のコンビに少し参加してもらい、海老たちの足を遅くさせたら、お酢をバッグのボタン程度に入れてエビチリ物語が完成します。

真っ赤な夕日が目立てるお皿にお入れください。

Story

ご褒美としてお酒と生姜を
ふりまかしてあげます。

白い部分も真っ二つに切って、
足の長い緑ツノが生えた激細さんにします。

名刺という名のネギは
海老にくっついて離れないくらい入れます。

できあがり

グリーンカレー

本日は辛さだけでは済まされないタイ料理のリーダー、グリーンカレーを台所で作りました。
みなさまには何色に写っていますか？

具だくさん、そして我が我がなパプリカを使いましたので、一見すると婦人服売り場ですが、そんな楽しそうな物語が詰まっていそうです。

あからさまに使い道を狭めるんでないかと将来を考えてあげる自信がない中、ビクビクパプリカに手を出します。
ですが、使ってみると案外向こうから優しくしてくれて何にでも変身できることを私たちは知ることになります。

あとはまるで背比べパックに入っているエリンギに、竹の子、鶏胸肉に集まってもらいました。
そして甘くにもおかずにも裏返るココナツミルクにも特別ゲストとして来てもらいます。
グリーンカレーを作るときは安心して道筋を教えてくれるグリーンカレーペーストが必要になりますので、自力で緑感を出す気持ちは置いてきて大丈夫です。

硬い安全な部屋であるフライパン、またはお鍋をお願いします。そこに特別ゲストが先走りすぎたので、ココナツミルクの上半分たちが鍋に先に入場します。

ですがさすがに特別ゲストを待たせるわけにもいかないので、先に火をつけてココナツミルクたちを踊らせておきます。ノリに乗ってきたら、優しい案内役のグリーンペーストを全て入れていきます。

シャルウィーダンス？と誘われたように２つは鍋内で混ざり合います（ウスグリーン）。

混ざり合うことが当たり前の風景になったら、お邪魔がてらに鶏肉たちを入れます。火もさすがに弱まります。
見てられないと思うなら蓋を閉めてもいいですし、見ていたいと思うならとことん火が通るまでご覧ください。

鶏肉に火が通った自信がある方は、野菜を全て入れます。火が通ってなくてもまだ煮込みチャンスがあるのでバタバタしないでくださいね。そして足止め食らっていたココナツミルクの残りのゲストも全て入れます。そうしてみなさま味見をしてみてください。

私には耐えられない辛さがそこにはあったので、ここで牛乳を入れていきます。辛さに耐える自信がある方、味を見ながらここは自由にお願いします。

味にうなずくことができた方は、第二煮込みで野菜たちの楽しいタイ旅行をお済ませください。楽しい旅行はあっという間に終わります（5分くらいで）。

ぐったり旅疲れした具材たちが帰ってきましたら、追い討ちをかける平日のように、ナンプラーを具材全員を起こすくらいかけ、ココナツシュガーも同じく入れて明日に気合いを入れます。

そして、鶏ガラスープの素を締めで入れたら、あっという間のタイ旅行の終わりです。
置き手紙にバジルを添えたら、タイ旅行が楽しかった具材たちが山を囲む記念写真のようになります。

Story

シャルウィーダンス？と誘われたように
2つは混ざり合います。

野菜たちの楽しいタイ旅行を
済ませます。

グッタリ旅疲れしたら、
明日への気合いを入れます。

できあがり

ロールキャベツ

本日は包まれたい欲の強い乙女なひき肉と、包みたい欲が強いキャベツの男気溢れるロールキャベツを作りました。

ラッキーな出会いをした5つ包みの話をします。

男気キャベツは男試しに、まずは1枚1枚丁寧にキャベツを剥がしていき、熱湯で茹でられている真っ最中です。

どの葉がいちばん男として強いかを、見定めていきます。

おっきな包容力がありそうなキャベツ男には率先して先に乙女な豚ひき肉と一緒になる権利を与えましょう。

一方で、乙女な豚ひき肉はハンバーグの作り方と似ていますが、キャリアウーマンな自立型ではなく、守りたいと思われるのがロールされる理由です。

ひき肉には、玉ねぎ粉々、マヨネーズをお賽銭程度、卵を1個、お麩の粉々を鈴が2回なるほど、そして頼りっぱなしの塩胡椒をみなさんにふりかけるようにお願いします。

マッサージを惜しげなくしたら、綺麗な形に整えていざロール時間です。

両手をバサっと大袈裟に開いたキャベツ男の胸元に、豚ひき肉乙女は飛び込みます。

そして両手をそぉっと右、左と包んだら下から上にと巻き込んでロールします。

豚ひき肉乙女が完全に私たちの目からいなくなったら両想い確定ですので、結婚指輪がてらに爪楊枝などの棒をぶっ刺して離れないように誓ってもらいます。

ロールしたときに横から豚ひき肉乙女がはみ出ていたら包容力オーバーですので、少しひき肉の形を変えるか、ほかのキャベツ男をお選びください。
まだまだたくさんキャベツはいるはずです。

それぞれ自分に合ったキャベツに出会えて、幸せなキャベツ男の背中しか見えなくなったら、お鍋やフライパンに式場を用意します。

先に薔薇の床のようにトマト缶を流し入れ、コンソメカサカサをひとつの花束くらい添えて、部屋を整えていきます。

愛の赤が足りないよと神父様から怒られるので、赤を足すためのケチャップを濃い赤にするまで入れます。
と、いった割には不安になったのか、水も１人で飲むくらい入れます。

最後に客入れの塩胡椒をしましたら、いざロールキャベツの入場です。

合同結婚式はロールキャベツ界では当たり前です。
できあがった全てのロールキャベツで式場がピチピチになるまで詰め込みます。

そうしましたら、あとは若いもの同士で煮詰まってくださいと言うように蓋をして、私たちは知らん顔です。せめて弱火でお願いします。

30分くらい知らん顔したら開けてください。
「おいおい、こんなに仲良くなって」とロールさせた私たちはキューピッドですから嬉しくなるはずです。

染み込んだ愛（トマト）をそっとお皿に乗せ、ヴェールのような生クリームを差し上げたらできあがりです。

Story

どの葉がいちばん男として強いかを
見定めていきます。

キャベツ男の胸元に
豚ひき肉乙女は飛び込みます。

結婚指輪がてらに爪楊枝をぶっ刺して
離れないように誓ってもらいます。

式場がピチピチになるまで
詰め込みます。

できあがり

ブリ大根

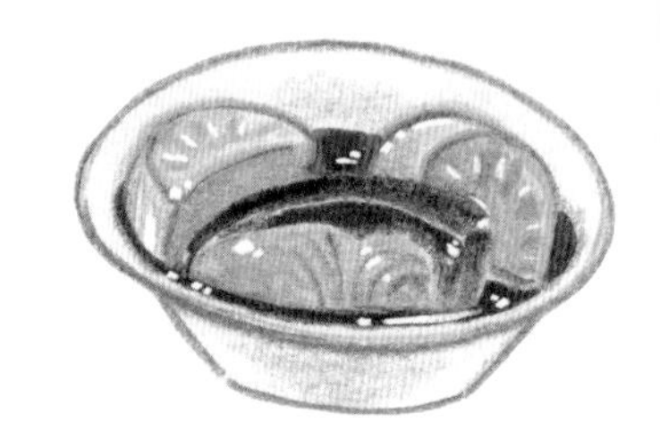

本日は優しい味にたどり着ける、とっても簡単なのに、思い出、いや未来までも作れてしまう、ブリ大根を作らせていただきました。
自分がいつか「おばあちゃんの味はこれだ」と誰か孫にしたときに言われたいですよね。

そんなブリ大根は、題名に書いてあるのが答えであり（ブリの切り身と大根）、あとは冷蔵庫にきっとあると信じたい生姜を使います。

まず、ブリの切り身をお取りください。
ブリはたくさん旅してきたせいか様々な臭いがくっついているので、熱湯でその思い出を全て消し去るように、バシャンとお湯をかけます。赤から透けない白にややなったら、思い出を忘れた証拠になります。

ブリをボーっとさせてる間に、大根を食べたいなと思える形に切ってください。

２つの食材の準備を万端にしたら、大根は思ったより石頭みたいな硬さをしてるので、先に電子レンジなのか、お湯の沸騰の中なのかでブリより一足お先に芯まで温めます。
同じ硬さじゃないがための、定めです。
大根の向こう側がうっすら見えてきたらもうやめてください（取り出してください）。

それでは、フライパンにお客様が来る前にという感覚で、お水を恥ずかしくて誰にも出せないほど四口分くらいを入れたら、和風だしのカサカサした粉を上から紙吹雪をかけるような量、そしてお醤油はブリを、こんな色に変身させたいなぁ、と思うくらい入れ、お醤油でけっこうな面積に染みたら、みりんとお砂糖は謙虚に、さらに遠慮してください。
水がリーダーになるので、水よりは何があっても出しゃばらずにみりんやお砂糖でだんだんと音を小さくしていく感覚です。

そうしたら、火を弱くもなく強くもなくかけ、嬉しそうに調味料たちが動き出したら、お客様であるブリを真ん中にそっと沈め、あとからやってきた優しく柔らかい表情になった大根も埋めていきます。

最後に忘れたって気づかれない、登場したらお手のものである影の力持ち、生姜の細切りかすりおろし、またはスライスを入れます。

あとは任されることは時間の経過を知ることだけなので、クッキングペーパーという蓋の役にもなれる紙を上からかぶせます。

一気に真っ白い紙が茶色くなりますが、これをすることで、せっかくの調味料たちがブリと大根に差をなく味が染み込んでいくので、空間を作る蓋より安心です。

染み込め染み込めとしつこく眺めること 20 分。

調味料たちが解散しつつあったらそれはブリと大根の中に入っていった証拠になります。
お皿に移動して、どうぞそちらが自分の味です。

ブリにどうしたってまだ何か乗せたい気づかいの方は、贅沢にゆずの皮をうすく切りばらまいてください（家での私はしない）。

50 年後に笑って孫に「おばあちゃん！作ってブリ大根！」と言われる未来であることをご想像しながら、召し上がれ。

旅の思い出を消すように
熱湯でバシャンとお湯をかけます。

お客様を真ん中にそっと沈め
あとからやってきた大根も
埋めていきます。

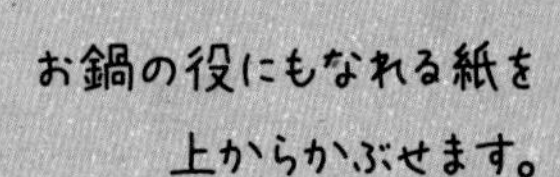

お鍋の役にもなれる紙を
上からかぶせます。

できあがり

キーマカレー

今日はまったくもって汁気を感じたくない、そんなときにぴったりのキーマカレーを作ります。
パサパサとはまた違った米との密着コンビの頂点を私たちに知らせてきます。
入ってくるものは人参、玉ねぎ、お好きなきのこ、合いびき肉です。

キーマカレーのどうも足を紐にひっかけてしまう理由は、**「全てを小さな形に切る」**ということだけを乗り越えていただけたら、美味しさにたどり着きます。

人参、玉ねぎ、きのこを粉々寸前まで切りますが、もっと噛んだ時に存在を知りたい方はおっきくたっていいです。

好きな切り方の見せどころとしていただいたら、まず玉ねぎだけを根気丸出しで炒めていきます。
玉ねぎからはたっぷり甘みが出ますので、私はいつも先乗りさせて炒めます。

茶色がしつこくなってきたらオリーブオイルを入れ、ひき肉も仲間に入れて炒めます。
この時に、嫌になるほど小形が続きますが、にんにくと生姜も入れてほしいです。

ひき肉の色みがピンクから硬い茶色になってきたら、野菜を全て入れてください。

きっとそこには色が綺麗なジャングルのようになっていると思います。

全体的に汗ばんだ野菜や肉たちになったら、カレー粉を一部分がむせるほど入れ、あとはもう年功序列を気にせずに、ウスターソースを右片手に収まる量、ケチャップを左片手に収まる量入れます。

そして､さりげなくお醤油を入れます。こちらで味見をお願いします。

もっとコクや味の深さを探検したい方は、お水少なめな１杯分にコンソメカサカサをキャラメル１粒食べるくらい入れて、深さを探してください。

単なる味を濃くさせたい方は、ケチャップやウスターソースをまた足します。
辛さやカレーさに弱みを感じているなら､カレー粉をお足しください。

ハチミツをおしゃれに去り際のように入れても粋です。

そしてキーマカレーの見どころでもある、汁気無しを期待しながらタクタク水分を飛ばしていきます。

汁気のない広場に、さらに緑の葉で水分がほしくなる景色を作ったら完成です。

Story

「全てを小さな形に切る」を
乗り越えます。

汗ばんできたら、
カレー粉を入れます。

汁気なしを期待して
水分を飛ばしていきます。

できあがり

しゅうまい

本日は中華の名サイドメニュー、しゅうまいを作りました。

蒸し器に振り回されて、残念な肩をさせていませんか？蒸し器なんておかまい無しなのが現在です。ご安心ください。

登場食材は豚のひき肉、椎茸、玉ねぎ（または長ネギ）、お豆腐（絹だって木綿だっていい）です。安心のメンバーなので、あまり中華を作るとかっこつけなくていいので便利です。

さぁ、まずは嫌いな作業から手を伸ばします。
一体いつまでたったら仲良くなれるんだかというほど、毎回泣かせにかかる玉ねぎのみじん切りから始めましょう。

涙に耐えたら、お次は椎茸のみじん切りです。好きなだけ粉々にしてください。口当たりが恋しい方は大きめにしてください。
お豆腐はもう嫌ってほど水分を吸い取り、お豆腐の潤いを抹消させます。
水分を奪いきったら、お豆腐、豚ひき肉、玉ねぎ、椎茸を、ボウルに入れます。

そこに、忘れないように全体に塩胡椒をし、生姜のすりおろし（チューブでもいい）を隠したくはないけど隠れちゃう量をひそかに入れ、ごま油を一筆で「ら」を書く意識で、お醤油は本当に遠慮させた量で小さなシミを作る程度でいいです。
最後に鶏ガラスープの素を数えられる程度入れたら、一気に清潔な手で意識を飛ばしてグニャグニャにしていきます。

グニャグニャ具合を納得したら、片栗粉を入れて固まりやすくさせます。量はご自分で判断していただきたいですが、小さな山が中心に立つくらいの量はいかがでしょうか。

グリグリ一心不乱に混ぜたら手を清潔に洗い、しゅうまいの皮をお取りください。しゅうまいの皮を千までいかない細切りします。細かいほうがそりゃ綺麗です。さらに短く半分に切ってもいいです。
そして広げていいお皿にしゅうまいの皮の糸をばらまきます。

先ほどまで散々ネチネチさせていた具を丸めていきます。和菓子の練り物のように可愛さ満点の小丸肉にしていきます。
では、しゅうまいの皮の糸へ落とし、クルクル糸を粘着力をいいことにくっつけていきます。

それを全て形をそろえたら、シャキシャキ感では負けないスイートコーンを上部に、お花のおしべだかめしべだかのようなつもりで乗せましょう。

そうしたら、熱に勝てるお皿の上にレタスを敷いて、そこに転がるほど可愛く作ったしゅうまいを並べます。隣のしゅうまいのほっぺとほっぺが当たらないように私たちが注意します。

当たり前にラップをこなれた手つきでかけます。あとは電子レンジにバトンタッチして、5～7分温めてもらいます。

ぶわぶわにみずみずしくなったしゅうまいがいたら成功です。

レタスの水分でいつの間にか潤いを与えられ、生き生きとしてるはずです。

Story

グニャグニャにしたら片栗粉を入れて
固まりやすくさせます。

しゅうまいの皮を細切りの糸にしたら
お皿にばらまきます。

クルクル糸を
粘着力をいいことにくっつけます。

できあがり

鮭の南蛮漬け

今回は、夏だけでは止まらせない鮭の南蛮漬けです。
魚を無意識にカゴには入れられない、元祖肉食な私なんかにはぴったりの料理です。

まず集まっていただくのは、玉ねぎ、赤ピーマン、緑ピーマン、人参の**一見お子様からは嫌われそうな壮絶なメンバー**ですが、努力の大変身は誰だって大好きですよね。
こちらを全てスタイルのいい細切りにさせていきます。

そうしたらみなさん一旦休憩していただき、鍋やフライパンに、お酢をリーダーに**ドボドボのドボ**くらい入れ、お水を一瞬入れる程度、お砂糖、お醤油、みりんを仲良く同じ量を色が変わるくらいサクッと入れます。
最後にカサカサの和風だしを力なしに入れたら、一気に火をつけ煮立たせます。

ぶくぶくと表面にまで顔を出してきたら、スタイル抜群の野菜界のモデルたちを入れていきます。

自分が入れた先ほどの液体が半分くらいになるまで野菜モデルたちが吸い取ったら、メンテナンス終了かのようにさらに輝きを持った野菜モデルを便利な入れ物なんかに連れ込み残った液体もかけ、パックするように冷蔵庫でお待ちいただきます。

その隙に、優しいどこかの魚屋さんが切ってくださった鮭の切り身に塩をふりまかし、鮭をスクラブパックするようにお願いします。

すると、余分な水分が出てきます。
しっかり拭き取ってあげて、片栗粉という名のおしろいをつけて美人にしてあげてください。
そうしましたら、フライパンにオリーブオイルを熱し、鮭をさらに変身させます。
3～4分焼きつけて鮭が美味しそうに思えるまで焼きます。

こちらも大変身したら鮭は取り出し、先ほどのパック中の野菜モデルたちを上からかけたら、**世界を轟かす食材モデルが集結した芸術の１枚**と思わせるような、鮭の南蛮漬けのできあがりです。

もしやまだ南蛮野菜たちが残っているでしょうか？

そんな方は、お酢の力尽くな保存力の高さで、次の日は主役を鶏肉に変えて、鮭と同じ作り方で南蛮野菜をかけても必ず美味しいです。

ダイエットに真面目な方は、厚い信頼の厚揚げ豆腐をサラリとさりげなく焼いていただき、あったか厚揚げ豆腐に南蛮野菜をかけていただいたら、新しいダイエットごはんの仲間入りです。

Story

スタイル抜群のモデルたちを
入れていきます。

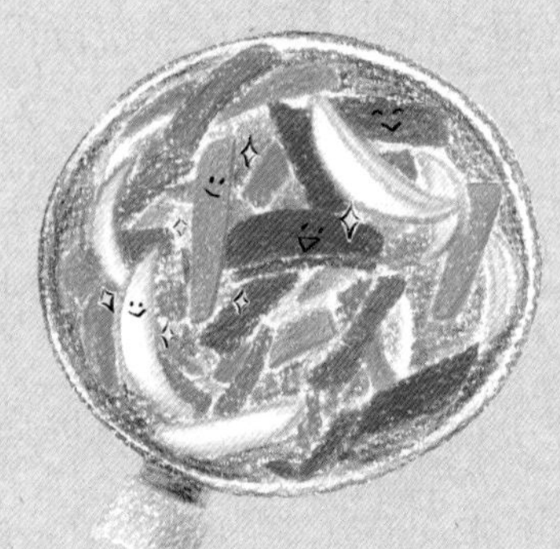

液体が半分になるまで
吸い取ったら、
メンテナンス終了です。

余分な水分を拭いたら、
片栗粉のおしろいで美人にしてあげます。

できあがり

すき煮

本日はお疲れがてらの自分にも寄り添えるすき煮を作りました。
疲れてる日こそ身体を優しく包みましょう。

そんな集まれる具材は、玉ねぎ、長ネギ、椎茸、牛肉、白滝、焼き豆腐です。包丁を信じてそれぞれ思い思いに好きに切っていきます。
口にこんな形だったら運んでもいいなを見つけてください。

お鍋にお水は高さ 1.5cm くらいに、カサカサした和風だしは威力が強いのでこれでいいのか？というくらいで大丈夫です。
お次の親分をお醤油としてドバドバ足を踏み入れます。みりん、お酒、お砂糖はあとからついてくる子分のように、お醤油よりズカズカさせずに、だけど味を残すように同じ量入れます。

いざ、火をつけます。中間の火でフツフツと泡を見たなら、あとはお野菜、冷たい焼き豆腐全て**どうにでもなれ**という気持ちで入れます。
野菜たちも身体が柔らかくなり隙間が気になりだしたらお肉と白滝を入れます。隣同士にするとお肉は緊張するのか硬くなりますので、白滝とは近づけさせずにお願いします。お肉には気づかれないよう配慮が私たちには必要です。

私たちの出どころはもう残念ながらあまりなく、あとは食材たちの見せどころになりますので見守りましょう。火が全てに行き渡り、こんなに色を吸ったんだね、と理解できるまで待ちます。
汁気ないならないで、驚くほどの味の濃さになっているので、あとは平らな皿で眺めるなり、ホワホワ白米の上にゴロンとさせるなり、自由な時間です。最大の喜びをくれる温泉玉子をぐったりさせて召し上がれ。

できあがり

麻婆豆腐

みなさん、こんにちは。
今回は、ちょっぴり名前が派手派手しい麻婆豆腐の物語です。

豆腐をお婆さんにしていくことではありません。
麻婆豆腐は知っておいたら必ず損はさせませんので、安心してください。

私はすぐには揺るがない固い気持ちを持った木綿豆腐が好きですが、ゆるっとさがたまらない綺麗系絹豆腐でもお好きにしてください。
あとは中華料理の太客長ネギ、そして豚ひき肉の具材に集まっていただきます。
おまけでくっついてくるのは、にんにく生姜のコンビです。

まずは油を引いたフライパンににんにくと生姜をレディファーストしてあげ、なんだか匂ってきたらひき肉塊を入れ、まな板で千切りするかのように、ガツガツとヘラで刺激してあげてください。

ある程度の男子学校になるなという分までバラけさせたら、また刻むだけ刻んだネギを入れ共学にさせます。
男子という名のひき肉は喜びに変わりどんどん男らしくなっていきます。

男になったひき肉を見たら、水を1杯分入れ、鶏ガラスープの素をお小遣いで500円玉もらった程度入れ、お酒を全員にサラッとあげる程度、そしてお醤油と甜麺醤（テンメンジャン）という兵器を一部しか気づかない程度に、こっそりと。最後にお砂糖をさらにひっそり忍ばせます。

全体を校長先生になったつもりで安心したら、強い意志をもった教育実習の先生のような木綿豆腐を、なんと自分の手でむしり取りながらおっきめに入れてきます。

いくら努力しても崩れる方続出だと思うので、綺麗に切らなくなって、手に頼ってください。
二度見するほどおっきくなりすぎたお豆腐はヘラなどでサクッとお刻みください。

コップに一口分の水と、同じくらいの量の片栗粉を溶かします。

教育実習の先生と生徒たちをしばらく眺めたら、今まで中火だった火の力をギリギリまで弱め、先ほど作った片栗粉水を入れ、ゆっくりヘラで背中を押すように丸く追いかけっこするようにすれば、徐々にまた速度を失っていきます。

そして速度を無くしたら、ごま油でみなさんをテカテカにして麻婆豆腐のできあがりです。

最後に赤髪のやんちゃなトウガラシを乗せますが、気の乗らない豆腐たちがいたら、見た目からは誰も気づかないが、口に入れば爆発度が味わえる山椒をふりまけてもいいです。

またもやサボテンのような形でびっくりな生姜を上手く千切りいわく二十切りくらいして、体の体温を負けじと上げたっていいです。

それでも気の乗らない方は、絶対なんの味のブレも出さない見た目命の小ネギたちを優しく散らしたっていいです。

麻婆豆腐の赤沼だけにならないようポイントをお願いします。

生姜とにんにくを
レディファーストしてあげます。

ひき肉をある程度の男子学校に
なるな、という分までバラけさせたら、
刻んだネギを入れ共学にさせます。

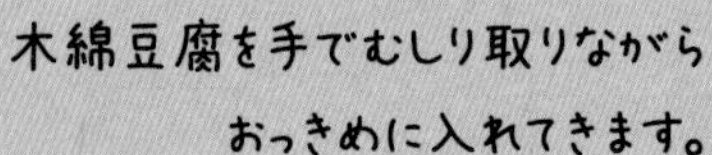

木綿豆腐を手でむしり取りながら
おっきめに入れてきます。

できあがり

ビビン麺

夏のどっかで向き合いたい、そんな暑さを味方にするビビン麺の登場です。プールに飛び込んだような感覚をぜひ台所にてご自分でご体験してください。

簡単な夏にするには、キュウリとハムと韓国海苔とキムチと卵黄にお助け集合していただきます。キュウリは、自信のある細切りならなんだってかまいません。そして丸としてそこにいたハムも細く美しく切って、ピンクピンクな短冊型を際立たせてもらいます。

集合場所をひとつのボウルに決めたら、具材たちが全て入ります。

あらゆる角度からさらなる夏の応援者も集まらせます。

まず目を潰したくなるような赤で攻撃してくるコチュジャンをぴったりだけど顔には塗りたくない量、ごま油はコチュジャンを覆う量、お酢をやんちゃに一走りさせたら、お醤油、お砂糖で蓋をします（単なる全て同じ量入れる）。

赤茶色で荒らした部屋を見ましたら、そこに住んでいたであろうキュウリとハムを帰宅させます。

動揺する暇なく赤くさせ大混乱をさせていると、時間差で茹でていた素麺を無責任に入れます。それをトングまたは菜箸などで無邪気やたらにガサガサとかき混ぜていきます。

するとキュウリとハムも「案外いい部屋になったよね」とスルリと納得する情熱溢れた部屋ができあがりました。

土地をお皿に移動させましたら、卵黄という名の照明を真ん中につけて韓国海苔で屋根を紡ぎ、リフォーム業者を褒めたくなるような素敵な赤いお部屋の完成です。最後になけなしの白ごまをふってください。

それを人はビビン麺と呼びます。

できあがり

カニクリームコロッケ

今回はカニクリームコロッケです。カニと太っ腹に声を出してはしまいましたが、今回はカニカマを使った手軽さと心の苦労をぼかした材料です。

集まっていただくのは、日本の技術を最大限尊敬するカニ味しかさせないカニカマに、食感でいてほしい粒のコーン、そして玉ねぎです。

ベシャメルソースという、単なるホワイトソースを作っていきます。

まず、まだ熱さを一切感じないフライパンに、バターとふるった小麦粉を入れます。

バターは石ころ3個分くらい、小麦粉は紙コップ半分くらい入れます。全て安全に入ったことを目認したら弱火に火をつけます。

バターが溶けたら小麦粉を絡ませてという地味ながらもやりがいをしっかり感じられる作業をひたすらします。

バターと小麦粉が仲良く一体化に成功したら、黄色が強めな固めなスライムのような見た目になります。

少し火に強さを足して、牛乳をひたすら水たまりができる程度に、少しずつ、また少しずつ、地道に入れてはかき混ぜ、また牛乳を吸い込んだら牛乳を入れて、と**人生のスポンジ作業**をしていきます。

こんな柔らかさのカニクリームコロッケが食べたいな、と自分に言えるまで繰り返します。

柔らかいほうがそりゃ美味しいですが、あまりにべちゃべちゃは後悔しますから、自分の理想と現実の厳しさを理解しながらゆるさをお考えください。

そんな自分との戦いのところ申し訳ないですが、一旦好きなホワイトソースができましたら、お隣で玉ねぎのみじん切りを油なしの綺麗なフライパンでミシミシ炒めていきます。手のかかる玉ねぎなので、焦げをつかせないよう大切に大切に茶色にしていきます。

香りも見た目も茶色になりましたら、それを隣で育てていたホワイトソースに入れます。

また懲りもしないでかき混ぜ、カサカサコンソメをお気持ち程度、塩胡椒をさりげなくだけどしっかり、そしてカニカマをさいて入れ、最後にワクワクする量の粒コーンを入れます。

万が一、**「もっとゆるく作っときゃよかった」**と後悔してる方、まだ牛乳入れて溶かせます。安心してください。

最終判断をしましたら、バットという長方形の入れ物にカニクリームを流し入れ、なんとなく広場を作ります。

そうしたら、一旦空き時間を作ってしまいますが、冷蔵庫でカニクリームをお昼寝させてください。

ボーッと過ごすこと30分〜3時間……。お昼寝していたカニクリームを起こしたら、真冬の広場がそこにはあるはずです。その冷たい広場がチャンスです。完成した時に嬉しい形に整えていきます。

俵型、小判形、円、三角、四角、棒型、芸術気質……、などなど好きにしてください。納得な形ができたら、小麦粉へ、溶き卵へ、パン粉へと唯一無二の景色を見せてあげます。

パン粉をつけてさらなる形を綺麗にしてあげてから、惜しむことなく180度の油へお見送りします。

過保護な私たちは最後まで気にしながら全体を茶色にしていき、結局私たちがしつこく見るもんだから、まったく羽を伸ばせなかったカニクリームコロッケを帰宅させます。

可愛くて仕方ないカニクリームコロッケに喜びを感じたなら、それは完成の合図です。

Story

バターと小麦粉が
仲良く一体化します。

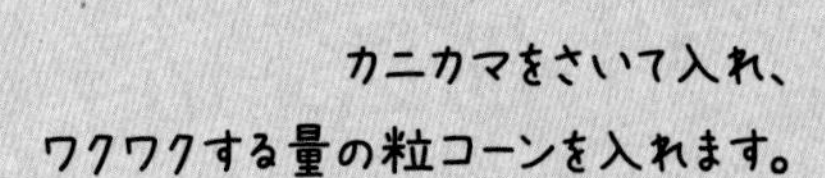

カニカマをさいて入れ、
ワクワクする量の粒コーンを入れます。

小麦粉へ、溶き卵へ、パン粉へと
唯一無二の景色を見せてあげます。

できあがり

肉じゃが

台所で長年定番位置を譲らないおかず界の長老、肉じゃがを作りました。

代表すぎてなかなか作っていませんが、作るときに改めて向き合うと日本が溢れた優しい味を思い知ります。

味に懐かしさを感じるなんとも失礼な話かもしれませんが、懐かしさは風景だけではないと思わせるおかずです。

自信持って代表でいてほしいです。

そんな代表具材は、じゃがいも、人参、玉ねぎ、牛肉という誰もが**カレーかと勘違いされがちメンバーも行き先変えたらこんなに違うんだぞ**という迫力の見せどころです。

人参、じゃがいもは、堂々と自信を持った形に変えていきます。

玉ねぎは相変わらずないつも切りをしてください。

そうしましたら、お鍋のようなものに好き好きな油を引いて、野菜を全て炒めてください。

まずは野菜界の本領発揮です。

大御所たちが織りなす華麗な動きをご覧ください。木べらでの小移動は見慣れたもんです。

やや茶色い模様が野菜たちの身体につき始めたら、牛肉を失礼しますと隙間に入れ、さらに炒めます。

牛肉にも色みの変化を感じたなら、お醤油、お酒、みりん、お砂糖を全て仲良く同じ量、大御所たちにしっかり染み込ませてやるぞ、という強い気持ちで入れていきます。
　するとそれだけでも足元くらいは少し浸かっていただき、お水を人の分と自分の分入れ、カサカサ和風だしを大御所仕様で急に全てを入れて、飽きさせないように景色を変えます。

　そうしたら、あまりジロジロ見るのも失礼にあたるのでアルミホイルで蓋をして 10 分は邪魔を必ずしません。
　ごゆっくりおくつろぎいただき、10 分経ったら驚かせないように隙間から様子を伺いください。

　おい、まだくつろがせてくれよという汁の多さでしたら、あと追加で 10 分休憩してもらってください。

　もうこれ以上休憩されちゃ困ります、仕事してくださいと思う度合いでアルミホイルをめくります。
　味を強く染み込ませた姿を無事見たら、お皿に移し讃えましょう。

　大御所たちの気を紛らわすためにも、湯通しした若いインゲンも寄り添わせてください。

　万が一、居残り肉じゃががいた場合は、大御所たちにあまりに失礼になるので、次の日にこれでもかとほぐしのつもりで潰していただき、肉じゃがをガードの強いパン粉で包み、目でちゃんと見たいなと思う形に仕上げたら、まさか入る予定ではなかった油に泳がせ、コロッケにしてあげることをご提案できます。

　前に戻っていただいたら、コロッケの作り方は書いてあるはずですので、お読みください。

Story

茶色い模様がつき始めたら、
牛肉を失礼しますと
隙間に入れて炒めます。

足元は少し浸かっていただき、
飽きさせないように景色を変えます。

もうこれ以上休憩されちゃ
困ります、と思う度合いで
アルミホイルをめくります。

できあがり

鶏のさっぱり煮

本日は、胃から口までスッキリしたいよって日に連れ出したい、鶏のさっぱり煮を作ります。
さっぱり希望な鶏肉に来てもらいます。鶏肉としては手羽元、または手羽先がおすすめです。今回は鶏の手羽元との物語になりそうです。

満員電車のように並ぶ手羽元の汗を拭き取るように、キッチンペーパーで拭いてあげてください。
すっかり汗を拭った手羽元が顔を出したら、フライパンか鍋にお酢を絶対むせる量を盛大に入れ、お水はそれに負けるくらいの量、そしてお醤油、お酒、みりんをお酢の威力にまぁまぁまぁ、と手出す程度に入れたら、優しいお砂糖をか弱く入れます。最後にやんちゃににんにくと生姜を入れます（すりおろし）。

そうしましたら、それに火をつけてお先に鶏なしパーティーです。
盛り上がってきたら、汗を拭かれすぎてややツッパリ状態の手羽元を全て鍋に入れていきます。潤いを無くした手羽元が潤いを出してきましたら、蓋をして 20 ～ 25 分煮ていきます。
10 ～ 13 分を気づけた方、手羽元をひっくり返して、隅から隅へ潤いをお運びください。
約 20 分経ち、テカテカパックで帰り道が恥ずかしくなるほど潤いに満ちた手羽元がいたら大成功です。
美しく帰ってきた手羽元にはぜひ、綺麗になったねとお褒めの言葉をお願いします。

お皿に無事帰宅しましたら、あまりに茶色が過ぎる見た目になったので草を生やしたく、ほうれん草に緑の明かりを彩ってもらいました。

できあがり

ピーマンの肉詰め

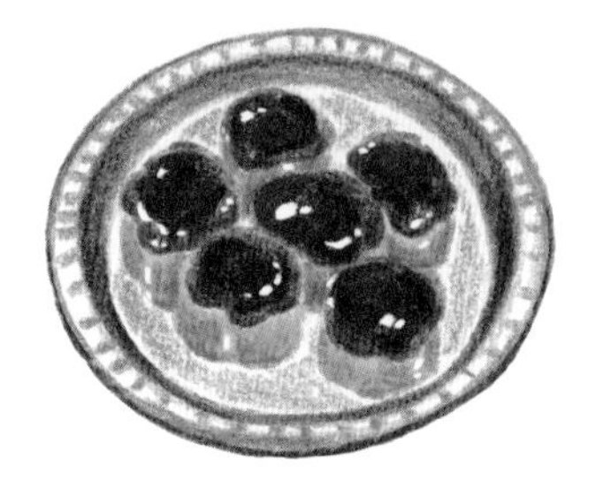

本日はひょっこり穴から顔出しスタイルに誰もが胸を打たれるピーマンの肉詰めです。
肉を何かに詰めたくて仕方ない方におすすめです。

お集まりいただくのはピーマンに、豚ひき肉多め、牛ひき肉少なめ、玉ねぎ、お麩、卵です。

途中まではハンバーグを作る気持ちと被っていいですので、玉ねぎをみじん切りしましたら、ボウルにひき肉全て、玉ねぎみじん切り、お麩を崩しに崩した粉、卵、塩胡椒をややむせるほど、マヨネーズを宝石を一粒添える程度入れ、硬すぎず柔らかすぎずの肉質に変えていきます。

ピーマンの帽子になっている部分をギリギリ切り、足もギリギリに切り、それをさらに半分に切って２つの筒にします。
顔を出したくなるような筒ピーマンを何個かお作りしましたら、なんかしらの空間で片栗粉がピーマンひとりひとりに嫌がられない程度にまとわりつけます。

そうしたら、先ほど力尽くで作った肉の塊を筒ピーマンの部屋へ埋めていきます。
新居を見つけた肉は少し丸まり優しくなったような表情をしてるはずです。

全てに部屋を与えたら、フライパンという土地にそれを建てていきます。

土台が茶色く土づいたらひっくり返し、屋根も床も火をしっかり通して、さらなる丈夫な筒にしていくためにお酒を全員にあたる程度入れ、蓋をして蒸し焼きにしていきます。

4～5分蒸しましたら、もうしっかり独り立ちできる部屋の完成ですので、フライパンからお皿へお引越しお願いします。

空き地になったフライパンにケチャップと中濃ソースに少しのお酒を足し全てを煮詰め、**筒ピーマンたちに敷金返すつもり**でお塗りください。

そんな引越しが成功したピーマンの肉詰め物語でした。

ピーマンしか住む家を選べない選択の無さにうつむくひき肉たちがいるのなら、椎茸のように床のしっかりした住居だっていいです。

ナスの身を縦に半分にして身をくり抜き、皮だけの空間にまるで海賊船に乗るようにひき肉を入れたっていいです（くり抜いた身はどこかにお使いください）。

レンコンを薄く切り、集合住宅のように窓がたくさんあいた場所にひき肉を埋めたっていいです。

ひき肉の住居を探してあげる不動産屋は私たちだということです。
しっくりくる食材にお試しください。

Story

筒を作ったら片栗粉を
嫌がられない程度に
まとわりつけます。

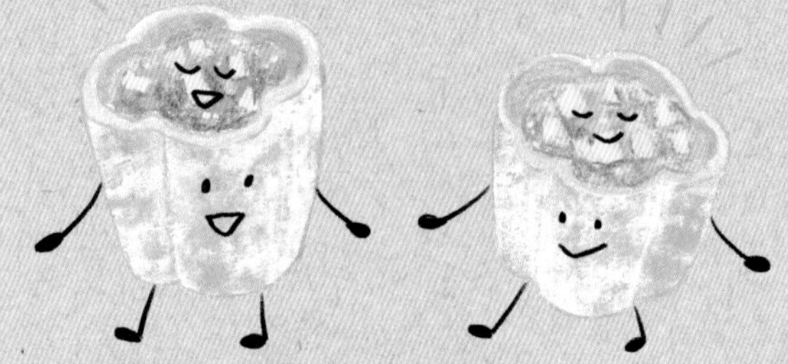

新居を見つけた肉は
少し丸まり優しくなったような
表情をしてるはずです。

全てに部屋を与えたら、
フライパンという土地に
建てていきます。

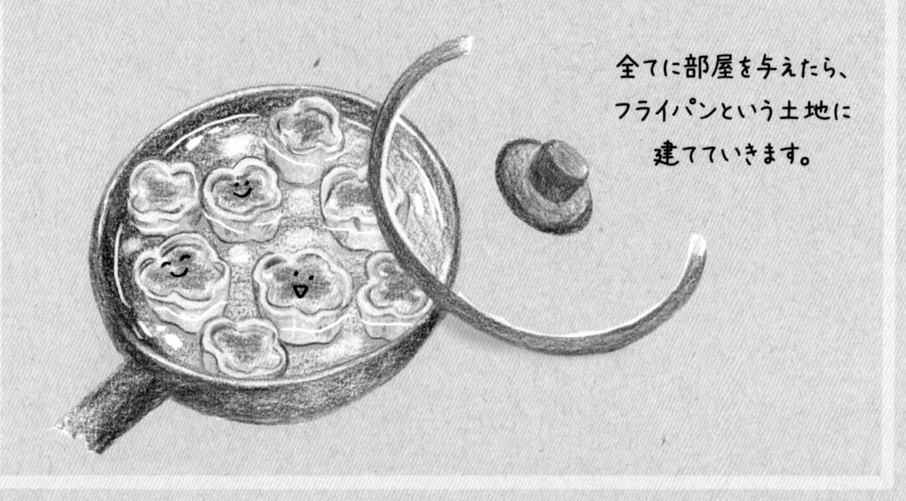

できあがり

チキン南蛮

たまにはがっつきお腹を幸せにしたいときには、特別大サービスで許してます。365日対応できるチキン南蛮を作ります。

冷めたら自分の口にかわいそうなので、先にタルタルソースから作っていきます。玉ねぎ、たくあん、茹で卵、マヨネーズ、レモン汁、塩胡椒、お砂糖でお作りします。

玉ねぎは自分の覚悟を決めて、みじん切りといういちばんやっかいで私が避けたい切り方をしていきます。涙がいちばん目を支配する、そうみなさんご存知の切り方です。

でも**目の前の美味しさと出会えるもんなら高尾山登るより楽だ**と思いながら切っていきます。

見事に目の涙を拭いたら、みじん切りした玉ねぎたちには水に浸かっといていただきます。これをしないとせっかく切った玉ねぎに恩も忘れられ、今度は口の中まで味に刺激されます。しっかり水に浸しておけば生でも美味しく食べられます。

浸かっている間に、卵を茹でておきます。たくあんも細かく噛みたい歯応えを失わずに切ります。

ボウルに、浸していた玉ねぎの水分を素敵に切って入れ、茹で卵とたくあんをとにかく混ぜきります。茹で卵からしっかり中身を飛び出させ、それも超えて土のようにしていきます。マヨネーズを具に蓋をして姿を隠しすぎだというほど入れ、塩胡椒を4回は手首振りたいです。

そこにレモン汁を人が飲み込める量ギリ入れ、お砂糖を本当にお気持ちを添える程度、最後に隠し味立場で牛乳を、奇跡的にしずく大が落ちたね、と思うくらい少し入れます。あとは思う存分混ぜて楽しんでください。これでタルタルソースはできあがります。

さて、土台でもあり、食べる主役でもあるチキンの南蛮漬けを作ります。
鶏もも肉はうまい具合に好きな形にお切りください。一通り安心な焼き加減になるお約束がしやすいです。

塩胡椒を背面にも前面にもすりすりスクラブかけるつもりで振りまかしたら、小麦粉を鶏肉を隠すように真っ白に雪化粧していきます。
と、思いきやそんな見惚れる姿は束の間で、溶いた卵へ滑り込ませます。

ヌメヌメの黄色い姿になりましたら、フライパンで焼きつけていきます。
いつもよりオリーブオイルを豊かに入れ、贅沢三昧です。
背面を気持ちよく焼き揚げたら、ひっくり返らせ前面にも同じだけの熱さを与えます。
そんな私はまだ鶏肉を中まで信頼できないので、火だけはしっかり弱めて蓋をしてフライパンに閉じ込め居残り焼きです。

約５分焼いたらフライパンの中の多すぎた油をキッチンペーパーで拭き取り、そこへ新しくお砂糖を全ての鶏肉たちに差がなくかかる量かけ、お醤油、お酢も鶏肉たちへしっかり濡れてしまうほどかけます。
ここでのポイントは、この３つのエキスは全て同じ量と記憶していただけたら、みんな仲良く鶏肉に吸い込ませてください。

これこれ！ という茶色いトレンチコートみたいな色に鶏肉がなっていたら成功です。
なんだかまだ春みたいなパステルコートの色だったらお醤油たちが足りないかもしれません。
しっかり鶏肉に合った色を表現できたら、それはチキン南蛮です。
お皿へ鶏肉南蛮を飾り、上にタルタルソースを爽やかに流したらできあがりです。

Story

細かくしてとにかく混ぜきったら
土のようにしていきます。

小麦粉で真っ白に雪化粧したら
溶いた卵へ滑り込ませます。

3つのエキスは全て同じ量で
仲良く吸い込ませます。

できあがり

豚の角煮

絶対作りたかった憧れのおかず、豚の角煮を作りました。
豚の角煮が作りたいが為の圧力鍋、と言っても誰も何も言えないと思います。
私の夢の台所を圧力鍋は叶えてくれました。
そんな圧力鍋との角煮物語は、長旅になるようで小旅です。

まずは、豚バラブロックを角煮になってほしい形で切っていきます。
そりゃ威圧感ある形のほうが作りがいあります。
壁のような豚バラにします。

そうしましたら、フライパンにて豚バラたちを寝かせ火をつけ、茶色い洋服を全身に着させるまで焼きます。
茶色の服着た豚バラ軍団が見えたらみんなが全身浴できるくらい水を入れてブクブクさせます。
豚バラたちが気にしていた脂を全てこのお湯の中に置いてってもらいます。

これから話すことは、私が持っている圧力鍋での話ですのでそれぞれの違いを知ってください。

10分間脂落としに専念したら、圧力鍋にすっきり締まった豚バラを入れ、ネギを好きに切ったら上から下まで全て入れ、生姜をうまくスライスしたものも入れます。
そうしたらお醤油、みりん、お酒を、豚バラたちの足元埋まるくらい同じ量ずつ入れます。

ハチミツを全ての豚バラたちに当たるように入れ、最後にお水を朝起きたらまず飲みたい１杯入れます。

そうしましたら、圧力鍋の分厚い蓋をして高圧で15分かけていきます。

封鎖豚バラになってる間に、茹で卵をどこかで作っておいてください。
沸騰した湯に卵を入れ10分熱風呂したら、冷水で代謝をよくさせておいてください。
そんなことをしたり鼻歌に専念してる間に圧力が抜けて蓋を開けられると思います。

お箸でさりげなく豚バラを押し下まで突き刺せたら、煮込みシーンに突入です。
強火で20分くらい煮込みますが、このタイミングで代謝をよくしていた卵の殻をむき、茹で卵も入れます。
お口の休息のためにシャキシャキな青菜も湯通ししてお待ちください。

20分間各々タレを自分の身体に染み込ませていただきましたら、台所の夢である豚の角煮のできあがりです。

短い旅にはなりましたが、圧力鍋との旅は濃厚な思い出となりました。

Story

威圧感のある形に切って、壁のようにします。

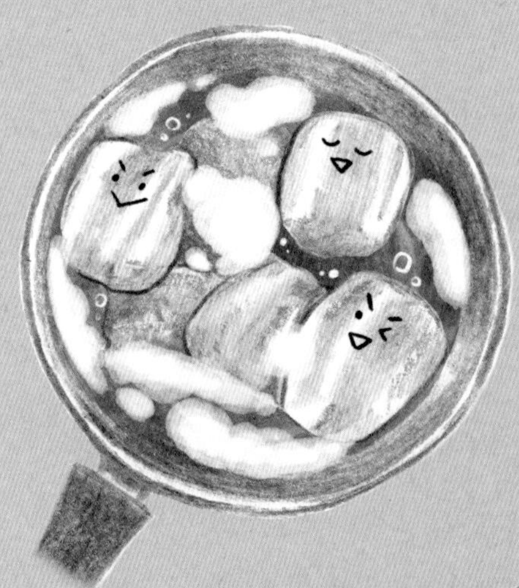

気にしていた脂を
すべてお湯の中に
おいてってもらいます。

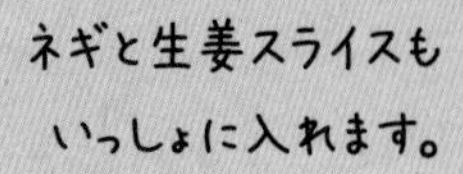

ネギと生姜スライスも
いっしょに入れます。

できあがり

スペアリブ

いつ食べたか記憶はないけど、スーパーに並ぶスペアリブを見ると買いたくなります。
買ったらなんだか大人になった自分に会える気がするのでしょうか。
単純ながらも素直な頭です。

スペアリブが最初なんだかわからず、初めて作ると決めた日はお肉屋さんに牛のスペアリブをくださいと言った記憶があります。
まったく豚に失礼しました。
そんな失礼から始まった出会いも今では仲良しになれるきっかけをくれました。

今日は思いっきり贅沢なスペアリブを使います。

手を差し出してくれたのは、圧力と場所取りだけは負けない圧力鍋です。
本当に場所取る割に働いてくれる台所での最優秀賞常連です。
コンセントひとつでコンロにも迷惑かけずに、隅で働いてくださいます。

こんな最大限力をくれて、**簡単への道連れをしてくれる機械がある時代**に生まれて私は幸せです。

またもや私が持っている圧力鍋での話になります。

下ごしらえとして、まずはにんにくをみじん切りしたとして、圧力鍋内でオリーブオイルで炒めます。

そうしましたら、スペアリブの６個兄弟全て入れます。家族なのでぶつかり合っていいです。
そして、**誰がいちばん早く熱さを吸収できるかな**の競争です。

焼き目のついた兄弟からひっくり返していきます。
兄ちゃんやるなぁと弟スペアからの声が聞こえてきそうになります。

焼き目競争に決着がつき、みんながみんな茶色のいい背中と上面になりましたら、次はプールで遊んでもらいます。

水をスペア兄弟の頭ギリギリ出すくらいまで入れ、お醤油でついに頭を隠すまで入れ、お酒とみりんを隙間隙間でサクッと、最後にハチミツをスペア兄弟全ての頭を撫でるように入れます。
ハチミツの代わりにマーマレードを第二ボタンくらい入れてもいいです。

そうしましたら、高圧力を 10 分かけていきます。
スペアのスイミング教室のつもりで頑張ってもらいます。

圧ピンがようやく下がりましたらスイミング教室終了です。
クタクタにふやけた柔らかさのスペアをご覧ください。

そして居残り教室として、ストイックなスペアたちを強火で 20 分ほど煮込んだら、だんだんとプールの水が抜けてくようにスペアに染み込んでいきます。

全部水を抜く一歩手前まで頑張っていただいたら、本格的な姿に成長したスペアリブの完成です。

Story

焼き目のついた兄弟から
ひっくり返していきます。

茶色のいい背中と上面になったら
プールで遊んでもらいます。

全部水を抜く一歩手前まで
頑張ってもらいます。

できあがり

ゴマ担々麺

本日は豆乳と豆板醤（トウバンジャン）が譲り合う、ゴマ担々麺を作ります。
集まっていただくのは、合いびき肉、長ネギ、チンゲンサイが具材になります。辛さをご自分の台所で好きにできるので、辛さで人に驚かれる方は、台所でひそかに楽しめます。

まず、偉大な装飾役の合いびき肉をごま油で炒め、お醤油をひき肉粒全員サービスのつもりでかけ、お砂糖をおまけ程度に、そしてここからもう辛さを出したい方は豆板醤を好きにしてください。
茶色に色を変身させたら、一旦ひき肉のことは忘れましょう。
忘れてるうちに、長ネギを細かくちょっとした紙吹雪のように切ります。
そうしましたら、もう食べるお皿を目の前に置きネギを入れ、練りごまを小さな大福くらい入れます。そして醤油もその大福に寄り添うくらい入れ、ラー油も逆側に寄り添わせます。
お酢と豆板醤を間違えて入れちゃったよってくらいびっくりな少なさで入れてください（それは間違いではない）。

そして小鍋などに無調整豆乳を１人で飲む量、鶏ガラスープの素を口に入れてジャリジャリするけど食べれなくはない量、そこに水も１人で軽く飲む量入れましたら、火をつけてコツコツ沸騰させます。
そしたら好きな麺を茹で、先に準備万端に待っているお皿に小鍋の液体をお待たせ〜！というように合流させて下にこびりついている練りごまたちを豊かに混ぜたら、麺に気持ちよく浸かっていただきます。
その上から合いびき肉を、ご自分のバランス感覚を生かし飾りつけしましたら、いつの間にか茹でていてほしいチンゲンサイすら飾ります。
出し惜しみの白ごまを軽快にふりまかせば自分だけのゴマ担々麺のできあがりです。

できあがり

とんかつ

今日は怖がっていたら始まらないギリギリラインのせめぎ合いで作ったとんかつの１ページです。

一見、単なるパン粉不足なとんかつかと思われてる方は大幅に勘違いされています。ギリギリのラインで攻めたとんかつなので、パン粉不足ではなく、こちらからパン粉の貼り付け制限をしています。
私はよく、ミルフィーユ状のとんかつにすることにしています。
分厚く火が本当に中央までしっかり通っているのか、という鍋前で１人抱える不安は台所には似合いませんからね。
いつもは薄切り豚ロースを使いますが、冷蔵庫に美しく眠る豚バラがあったので、本日は豚バラスライス方面に出発です。

時代を忘れたとは言わせない30cm定規かのように、広げた豚バラをまな板にのせていきます。
やや肩が当たるように並べて開いたら、大胆にチーズと大葉を入れて長細くなっている豚肉を風呂敷を包むようにそっと閉じ込めます。
今は豚肉のミニバッグが目の前にあるはずです。それに塩胡椒で模様ができるくらいふったら、急な溶き卵で驚かせ、水分をさらうで有名なパン粉をつけて、カサカサ世界に迷い込ませます。
と思いきや、フライパン床には、オリーブオイルのシートを引いてください。
床暖房と可愛くはいかない、激熱床を作る気持ちで火をつけます。
今回はパン粉に身代わりになってもらいます。パン粉がプチプチ浮いてきたら、そこは170℃の床が広がっています。

始めはオリーブオイルが絵具を混ぜたかのように、ゆっくりと深海のほうでうごめきます。この動きに気を取られないでください。さらに待つと、密かにピクピクと何か発信しようかなという素振りで私たちを泡で脅してきます。その脅しが増えてきたら、身代わりに作り上げてきたとんかつを捧げます。

するど静かだったオリーブオイルの浅い湖はお祭り騒ぎのように歓迎してくれます。なんの歓迎祭りももらえなかったら、入れるタイミング早いです。一旦とんかつを元の世界にお戻しください。

祭りのように盛り上がってくれればそれは、**今だよ、合っているよ**という受け入れの印です。片面だけいい思いしてるのも可哀想な話なので、2～3分楽しませたら、反対側のとんかつも同じく楽しませます。

そのとき、**こんなに楽しんだよ！**というとんかつの顔色をよく見てください。なんの遊んできたかけらも無い綺麗なままだったら遊び足りてません。

逆に、転んだのか？ というほど黒い顔を見せたら遊びすぎです。自分が親になったつもりで、まぁ楽しく遊べたんだね、という時にひっくり返してください。

その頃にはオリーブオイルも潮を引いたかのようにゴリゴリのフライパン底も顔を出していると思います（それはとんかつが吸ったから）。

祭りのあとの静けさを楽しみます。ですが楽しむ暇はありません。

あまり長居もよくないので、サッととんかつを引き揚げ、遊んだ身体をバスタオルで拭いてあげるかのように、油拭き取り紙でしっかり汗を拭いてあげてください。

素敵なお部屋（お皿）を用意して、高めの枕と思いきや千切りキャベツ(油の吸収を体内で抑えるので必須)、枕元に置きたいトマトを添えます。

これで夢の国に出発するとんかつのできあがりです。

油をいつもより少なくしても、薄切りを使えばしっかり火も通りますから、コミュニケーションは必ずお願いしますね。

Story

風呂敷を包むようにそっと閉じ込めます。

ミニバックが目の前にあるはずです。

身代わりのとんかつを
オリーブオイルに捧げます。

できあがり

ビーフストロガノフ

本日はカレーでもハヤシライスでもない国を挟んでやってきたビーフストロガノフを作りました。
こちらは私が正しければロシアから日本に知らせてくれた料理です。ありがたいですね。

間違いなく肉の王者ビーフ（牛肉）をご用意ください。
そしてカットトマトという、丁寧にカットされて缶詰で大人しく待っていてくれてるトマトがいます。
そちらも集まってもらい、あとは出ました、台所の常連玉ねぎや、マッシュルームやぶなしめじなど、好きなお野菜を集結させます。

牛肉はどんな姿でも美しくする自信のある方は自由にしてください。
階段一段目からのぼられる方は、名前は怖いが美味しい牛肉の切り落としや、謙虚そうな牛肉の細切れが優しく変身できます。

あとは**ロマンスカーより早く過ぎ去る景色に追いつきください**というほどあっという間にできます。

まずは、あったかお鍋にバターを入れます。
バターから汗が噴き出してきたら、玉ねぎを道連れにします。
私の大切さはいつだって玉ねぎが握っていて、どんな料理でも玉ねぎが出るときはキーベジタブルとなってまして、いつも大役任せてしまう監督（自分）で申し訳ないです。

そんな今日も大役を密かに演じる玉ねぎはやや遅めに色を変化させていきます。

あまり強火で焼くと役作りの妨げになるので、弱火または中火でお守りください。
玉ねぎが演じきったら大の主役牛肉を入れ、演じるまで私たちはヘラで指導します。

お肉が赤抜けたら、エキストラで待っていただいていた大量のぶなしめじを参加させます。
交差させる演技をヘラでやたらさせたら、トマト缶で閉じ込めていたヒロインを一気に登場させます。
一瞬でヒロイン色で染まる鍋の様子をお見逃さず。

さすがにヒロインの赤が過ぎるだろと指摘してください。

そしたら、どさくさに紛れて生クリームで赤をやや抑えて、コンソメカサカサで出演者に差し入れ程度にふりまき、あとはケチャップと中濃ソースで監督（自分）好みの作品にしていきます。
演者任せでなく、味見が必要となります。
そして疲れがきた頃、５～７分くらい弱火で休憩してもらいます。

最終カットは、特別出演をしてくださるサワークリームで締めます。
特別出演なのであまり欲張らずに遠慮しながら参加してもらってください。

そうしましたら、塩胡椒で鍋内の演者たちの目を痛がらせて作品ができあがりました。
お客さんとして見にきたお米たちに作品を存分にお見せください。

Story

大切さはいつだって
玉ねぎが握っています。

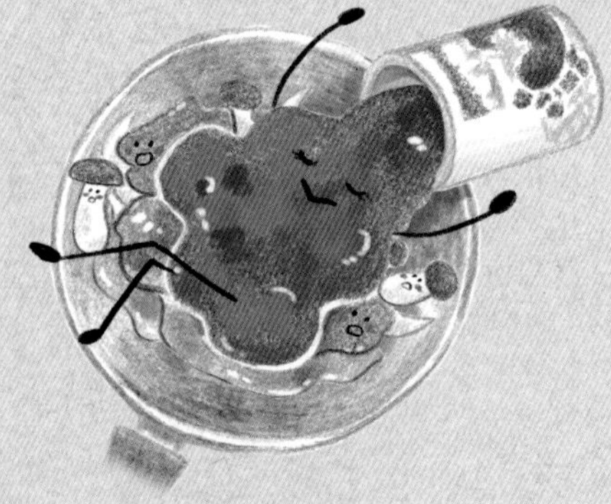

トマト缶で閉じ込めていたヒロインを
一気に登場させます。

特別出演のサワークリームが
遠慮しながら参加したら
塩胡椒で演者たちの目を
痛がらせます。

できあがり

春巻き

本日は口の中を尖った気持ちで痛めるけども、私たちも諦めない春巻きを作りました。

春巻きは閉じ込められた空間でひそかに抜群な味を隠し持つ、**ご飯界のマジシャン**です。

まずは、タネも仕掛けもあるタネから作り始めます。

集まったのは、実力派で名を知らしめた竹の子、ニラ、人参、椎茸、春雨、そしてひき肉（豚）です。

誰もが同じレベルであるように、細い棒切りしてください。

１人だけひいきするとそれはそれで実力派の気を曲げますからご勘弁ください（春雨とひき肉は仕方ない）。

そして、ひとつになるために、熱々のフライパンという名の仕掛け部屋に油を引き、生姜を子供サイズに切りいい香りをさせておきます。

先頭を突っ走るのはひき肉です。ひき肉を500人くらいに散らばせてください。散らばせれば散らばせるだけいいです。

ひき肉の赤から茶に変わる術を無事に見たら、そろった細い棒野菜たちを一気に入れていきます（春雨はまだ）。

実力派たちは自分が好きでたまらないという存在感を出しますが、**こっちは知ったこっちゃない**という気持ちで「働けー」と号令かけながら、はちゃめちゃに手動交差点を作ります。

野菜たちの身体が柔らかくなったら、軟体生物、春雨を入れます。

春雨に景色を奪われた隙に、お醤油、みりん、お酒、お砂糖、ごま油という調味料界でのスタンバイメンバーを全て平和に行くため同じ量入れていきます。早足で来てサクッと帰宅するくらいの量でお願いします。

そして、いたたまれないほどなかなか使ってあげれないオイスターソースを、やっと出番がきたのにさらに気まずくさせる程の量、そして相変わらずの鶏ガラスープの素も、数えられるほどの粒入れます。
具材と調味料で、**お開きだ**とも言い出せない雰囲気を作ってるはずです。その状態が落ちつくまで、混ぜながら見てください。

調味料たちが自然に帰りだし、具材たちがさっき会ったよりも濃い表情をしていたら、残りの調味料が帰りきらないうちに片栗粉＆水のゲキ強コンビを垂らすことを２～３回しつこくしながら混ぜることをやめずにいきます。
すると足止めされる具材＆調味料がいますから、それらが春巻きに閉じ込められる最終状態です。

そうしたら、約10枚入った風呂敷マジックのような春巻き皮をダイヤ型に目の前におき、具材たちを揺れを感じさせないようスプーンで運び春巻きで隠していきます。
全て包み、包まれなかったメンバーはどうぞお米や麺に乗せて明日お食べください。

次に現れるのは、油の海です。
中に入ると、今は外が白い皮だが、数分で色が変わるというマジックです。温度はご自分で努力し、170度くらいまで引き上げてください。
そうしたらちゃぷんと入れるだけ、入れていきます。
人間だったら痛いじゃ収まらない状態も、特殊な訓練を受けた具材たちだからこそのイリュージョンになります。

過酷な状態から５～８分耐えたら、BGMでも歌いながら救い上げてください。そして春巻きを真っ二つにお切りください。

なんの姿も変わらずに具材たちが笑っているはずです。
そんな食材たちが力を合わせたイリュージョンな一品です。

Story

誰もが同じレベルであるように、
細い棒切りします。

片栗粉&水の
ゲキ強コンビを垂らすと
足止めされます。

春巻きの皮を
ダイヤ型に目の前におき、
具材たちを隠していきます。

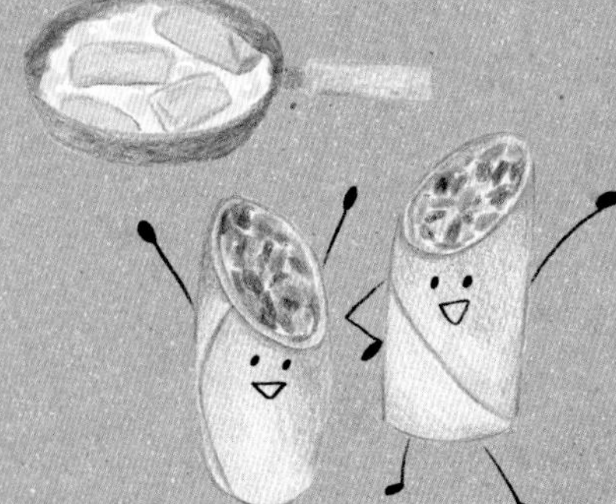

過酷な状態に耐えたら
救い上げてください。

できあがり

ドレスオムライス

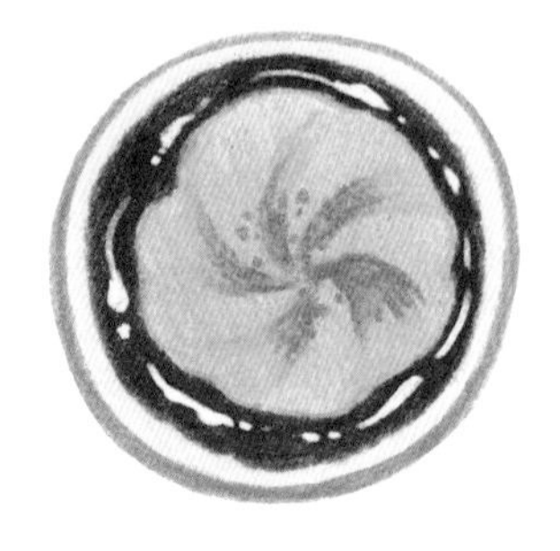

お嫁に出したくなるようなドレスオムライスを作りました。

こんな晴れ姿を見たらオムライス父さんはきっと涙で溺れてるでしょう。思い出いっぱいのドレスになるよう私たちはブライズメイドとして人肌脱ぎましょう。

そんな晴れやかな日にお集まりいただくのは玉ねぎ、ウインナー、卵、ごはんです。晴れやかな割には集まり悪いです。

まずは中の存在、ケチャップライスを作っていきましょう。

ウインナーを太りめの輪切りにしていき、玉ねぎ半分を目の刺激材料、みじん切りにします。

あたたまったフライパンにバターをみなさんの感覚を尊重して入れたら、玉ねぎを先に炒め、スター気分でやってきたウインナーも炒めます。さらに大遅刻な顔を白くしてやってきたごはんも入れます。

喧嘩になるくらい木べらでサクサクかき混ぜたら、ケチャップでみんなの表情を赤くするほど赤くし、ウスターソースを単なる気持ち程度に入れたら、塩胡椒を最後に「はい、はい」と呆れながら入れます。

それをさらにかき混ぜサクサク木べらを忙しく動かしたら、ケチャップライスは完成しましたので、好きな部分で管理なさってください。

次に、人に自慢できるほどではないが自分には喜ばれるソースを作っていきます。

先程余った半分の玉ねぎを、くし切りという単なるまっすぐ切りしていき、バターをいつもより好きに引いたフライパンで玉ねぎを静かにただ炒めます。塩を少しふると玉ねぎが甘えだすのでポイントと言っておきます。

そうしましたら、少し人を不安にさせる小麦粉を玉ねぎを邪魔する量入れ、パサパサ感を失うまで根性で炒めます。

お水を１人分、赤ワインを自分が１回飲み込める量（未成年の方は想像力を働かして）入れて、玉ねぎの感情としてボコボコするのを待ち、始まったらケチャップリード気味で中濃ソースも入れます。
コンソメカサカサを笑われちゃうほど少し、お砂糖を笑わない量ギリギリ入れます。

色が**こりゃデミグラスだ**と言えるカラーになっていますか？
何か足りないのであれば、舌を信じてバランスをお取りください。
動きがゆるやかになったら、人に言わないソース完成です。

さぁ、最後のドレスを作ります。卵を２つボウルにてかき混ぜましたら、お塩とお砂糖を力なしにかけます。
そしてフライパンを持ちます。この時に確認してほしいことはフライパンをそこで一周回せますか？ 取っ手がどこかにぶつからずに一周できる環境をお願いします。

バターを溶かし明らかに声を出してきたら混ぜた卵を入れます。弱火必須記憶です。綺麗に満月になるように広げ、少し、ほんとうに少し、底のかたまりを感じたなら、菜箸を使い向き合い様に卵を寄せてきます。
卵を寄せた分フライパンと目が恥ずかしく合ったら、すぐさままだ固まってない卵を回しフライパンを埋めて、目が合わないようにします。

まだ半熟なうちに菜箸を使って卵の中心をつまむように（菜箸同士はくっつけずに２〜3cm あけて）、一切動かさずにフライパンの取っ手を持ち手動で一周お回しください。卵が引っ張られて波を打つようにねじれドレスを作れていませんか？
失敗した方は次の舞台に向けて落ち込まないでください。こちらは半熟のときに全てを終わらすのがポイントです。
うまくいった方、おめでとうございます！ ケチャップライスにそおっとできたてのドレスを着させてあげてください。
ソースで舞台を作ればドレスが輝くオムライスの嫁出しに成功です。

Story
小麦粉を邪魔する量入れ、
パサパサ感を失うまで
根性で炒めます。
ケチャップリード気味で中濃ソースを。
こりゃデミグラスだと言えるカラーに
なっていきます。
半熟なうちに
中心をつまむようにおいたら
フライパンを手動で
一周お回しください。

できあがり

ラザニア

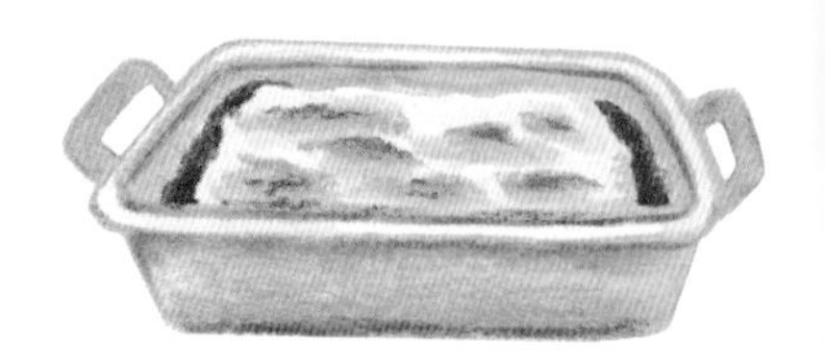

本日は絶対誰かに見せたい、でも１人でも食べてしまいたいラザニアを作りました。
こんな美味しい料理を考え出した第一人者を、誰かと胴上げしてあげたいくらい感謝しています。
こんなに私好みの料理は後にも未来にも出てこないんじゃないかと不安にすらさせる料理です。
そんなラザニア。たった４文字には普通は組み合わせないカタカナが並んでいる時点で、深さを感じます。

この画期的な料理にご参加いただくラッキーな食材たちは、常連でもありしっかりいい役もキープする玉ねぎ、玉ねぎによく付き添い人として選ばれる人参、そして合いびき肉です。粒々した形に変身する食材です。簡単に私たちを喜ばせるトマト缶もお願いしますね。

まずは、ミートソースから作っていきます。
玉ねぎ、人参全てをひき肉と交わっても恥ずかしくない形にします。
フライパンにはイタリアン料理の右手、オリーブオイルに、にんにくをご自分の鼻いっぱいに香りを独占したら、ひき肉を必死になって炒めてください。全ての粒を引き立たせ独立した肉にさせます。
立派になったひき肉を見下ろしたら、玉ねぎ、人参を参加させ、それはもう夏休みにイタリア旅行に行く人が空港でごった返す気分で混ぜます。

そうしましたら、トマト缶という名の飛行機に乗せて出発です。
忘れ物をギリギリに詰め込むように、赤ワインを二口上品に飲む程度に入れて、コンソメカサカサをみなさんに少しばらまき、お醤油をポケットに入れる感覚で入れ、ケチャップ、ウスターソースで周りを見渡すように入れ、お砂糖をやや太っ腹に入れます。最後に水またはお湯を1人で白湯を飲む量を入れましたら、一気に離陸です。
ぶくぶくとタイヤが回り出したかのように機内（フライパン内）が動き出したら、ローリエ（カサカサ葉っぱ）を鍵をかけるように1枚入れ、蓋をして機内をお楽しみください。20〜30分の旅になります。

その間に、ホワイトソースを作ります。
バターと小麦粉を仲良く同じ量、火のまだつかないフライパンに入れましたら、か弱い火をつけゆっくり溶き混ぜていきます。
そして牛乳に協力してもらい、ご自分の好きなスキー場をお作りください。ホワホワ柔らかいスキー場が人気です。
塩胡椒とコンソメカサカサを雪に埋まるくらい薄く降りましたら、スキー場の完成です。旅にきたお客様を待ちます。

その隙に、ラザニアのパスタも茹でてください。
スノーボードのような板です。ヒントは9枚茹でます。

そうしましたら、ラザニア空港（皿）に降り立ちましたミートソースをお迎えしましょう。
観光客を敷き詰めたら、空からはホワイトソースの雪を降らせ観光客をいい意味で埋めます。
パスタ板を3枚並べて、この誰もスキー場で滑ることのできない奇妙な環境を3回繰り返します。

最後に嬉しさと幸せしか運ばないチーズをそれはそれはたっぷりおかけします。そんな幸せで蓋をしましたら、オーブンのホテルでおくつろぎいただきましょう。170〜180度のオーブンで約20分睡眠していただいたら、朝がきます。

チーズが幸せそうにほっぺを茶色にして笑っていたらイタリア旅行のラザニアが完成します（パン粉を乗せてもいい）。

Story

ローリエを 1 枚入れたら
蓋をして機内をお楽しみください。

雪に埋まるくらい薄く降りましたら
スキー場の完成です。

空からはホワイトソースの雪を降らせ
観光客をいい意味で埋めます。

パスタ板を並べて
3 回繰り返します。

できあがり

アクアパッツァ

まるで絵画に入り込んだ堂々とした鯛が見たいのなら、アクアパッツァな気分です。

アクアパッツァで誰かと話し合いたいそんな方にはオススメです。

アクアは水だろうから、水とパッツァという何かを合わせたかったことには間違いありません。

まったくセンスのいかした名前です。

今日そんなアクアパッツァの世界に潜るメンバーは、鯛一匹（内臓処理は魚屋さんの力借りた)、冷凍ムール貝、あさり、ミニトマト、ケーパー、ブラックオリーブ、タイム、にんにくです。

なんだか耳が恥ずかしがる食材ばかりになりました。

冷蔵庫もお目にかかれない食材が急に入ってきて少しいつもより男気出して冷やしてる気がします。

そんな珍しい食材と貴重な時間を過ごしていきましょう。

まずは、あさりの砂抜き作業です。

砂抜きとはあさりのお口に入った砂を出していくというちょっとした治療ですので、お医者さん気分をお味わいください。

あさりの砂抜きには水と塩が必要になります。

バットなどに塩を溶かした水を用意しましたら、あさりが全て沈まないことが重大な救いポイントです。全て塩水に浸かってしまうとせっかく砂を出しても吸い込み、治療の成果が出ません。

あさりがしっかり砂を吐いて元気になるまで辛抱強く砂抜きします。1時間以上砂抜きします。

スッキリしたあさりを迎えたら、改めて始まりです。

オーブンに耐えられるお皿に、にんにくみじん切りとオリーブオイルを引きましたら、どんと鯛をど真ん中に居座らせます。
その周りを額縁の飾りのようにあさりやムール貝を並べます。

そうしましたら、またオリーブオイルと、白ワインをみなさんが気持ちよく浴びられる量入れましたら、オーブンで190度くらいで様子を必ずしつこく覗きながら10～15分焼きます。

貝のつぐんでいた口がプロポーズ指輪のように開き鯛がモテモテになっている状態が伺えましたら、追加でブラックオリーブ、ケーパー、ミニトマトをさらに追加します。

さらに10～15分こちらもご自分の目が証拠になるように見ながら焼きます。
しつこさにミニトマトの皮が破れますが、怒ってるわけではありません。

そしてオーブンから引き上げたら、それはそれは壁に掛けたいアクアパッツァの絵画ができあがります。

惜しみながらも壁には掛けずにテーブルでお食べください。

自分が作った証にとよろしければタイムを添えてください。

Story

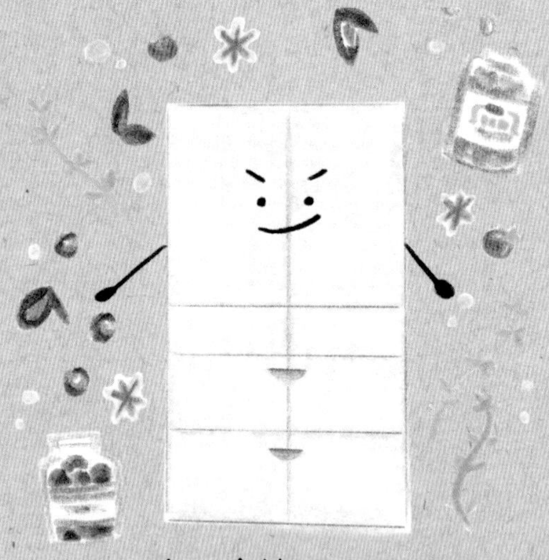

珍しい食材が入ってきて
いつもより男気出してる気がします。

しっかり砂を吐いて
元気になるまで
辛抱強く砂抜きします。

つぐんでいた口が
プロポーズ指輪のように開きます。

できあがり

食卓を彩ってくれる頼もしい相棒

副菜のはなし

いらっしゃいませ

主役まではいかなくても
名脇役として私を健康づけてくれる
大切な副菜のレシピです

主役に花を差すようで
だけど"綺麗だね"だけじゃ終わらないパワーが
副菜には詰まっています

そこには
限りない栄養が詰まっていたり
味の濃さを緩めてくれたり
だけども小腹も満たしてくれたり

ランチョンマットの上で
お祭りのような屋台を出してるだけではなく
"あ、これ足りてないな"を
満たしてくれる

本当のヒーローは副菜なのかもしれません

救われた品々をどうぞご覧ください

もむだけ

ビニール袋に、塩昆布と好きな具材を入れてもむだけ。

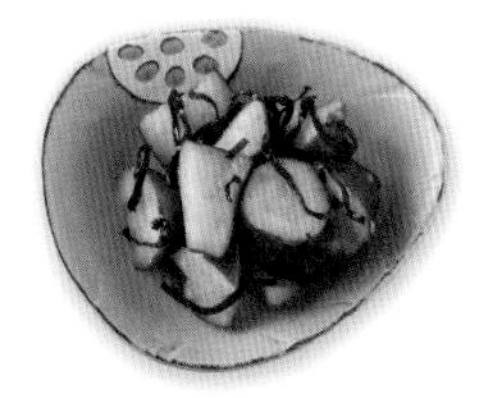

塩昆布ときゅうり

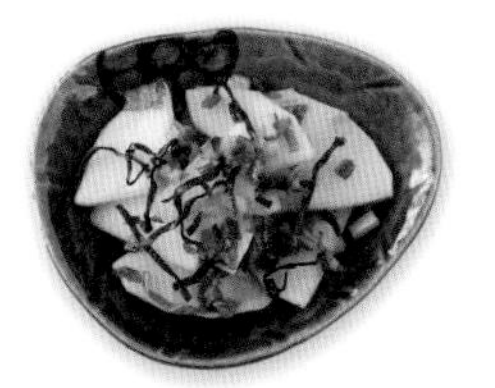

塩昆布とかぶ

まぜるだけ

この３つと好きな具材をまぜるだけ。

リーダー
（酢）

リーダー
（醤油）

子分
（砂糖）

タコとわかめの酢の物

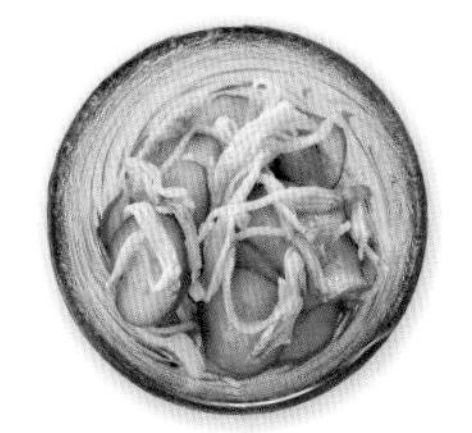

カニカマとキュウリの酢の物

かぶとゆずの酢の物

きのこのマリネ

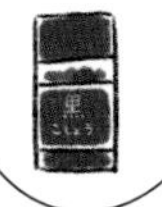

Point

醤油はお休みで
塩をプラス

あえるだけ

好きな具材を茹でてこの３つと
あえるだけ（トマトは茹でない）。

リーダー
（すりごま）

リーダー
（醤油）

SUGAR

子分
（砂糖）

ほうれん草の胡麻和え

インゲンの胡麻和え

オクラの胡麻和え

きのこの胡麻和え

ブロッコリーのマヨ胡麻和え

トマトの練り胡麻和え

Point
大葉を
のせる

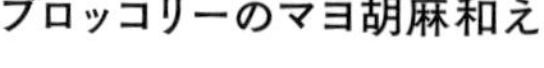

Point
すりごまは
ねりごまに
チェンジ！

ねりごま

炒めるだけ

好きな具材同士を炒めるだけ。

ナスの味噌炒め

トップバッター（ごま油） リーダー（醤油） リーダー（味噌）

（みりん） （砂糖）

トマトとたまご炒め

トップバッター（ごま油） リーダー（オイスターソース）

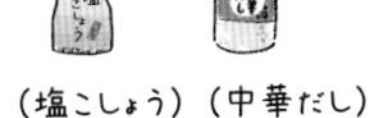

（塩こしょう） （中華だし）

アスパラ帆立バター

トップバッター（バター）

（醤油） （塩こしょう）

ブロッコリーバター醤油

トップバッター（バター） リーダー（醤油）

（塩こしょう）

アンチョビキャベツ

トップバッター（オリーブオイル） 3〜4枚（アンチョビ）

好きなだけ（にんにく） （黒こしょう）

白滝チャプチェ

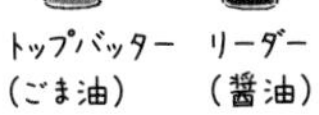

トップバッター（ごま油） リーダー（醤油）

（お酒） （みりん） （にんにく） （砂糖）

煮るだけ

調味料を入れたら待つだけ。

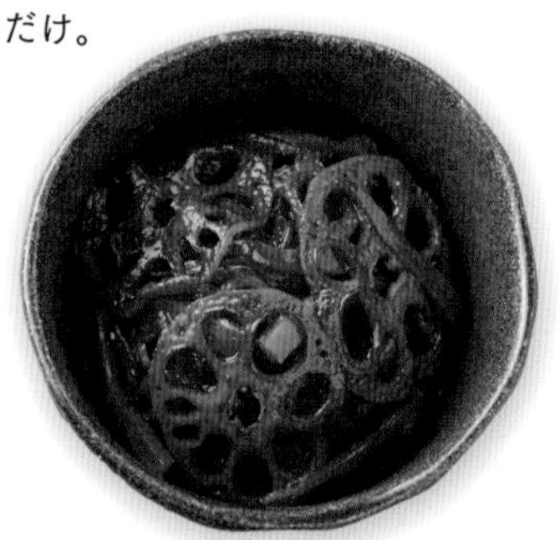

きんぴら

一度覚えてしまえば、所々で得意げな顔ができてしまう大切な副菜のきんぴらです。具材を変えても変わらないラッキーな味です。

レンコンは指の距離をしっかり確認しながら、健康第一でギリギリの薄切りをしていただき、人参は細切りを努力してください。

ごま油でレンコンと人参が心ばかりに疲れ始めたら、お酒、みりん、お醤油を全てまとめてコップ１杯分くらいに正々堂々と均等に入れ、具材たちがしっかりずぶ濡れにかかるように降らしていきます。
あとから追っかけ助っ人のようにお砂糖をチョコレートボールくらい入れて、和風だしを信じられない少なさの量をサラッと入れます。

汁気に浮き出る野菜たちを見下ろしてますか？

手は出さないが残酷なほど見つめていただき、汁気を野菜たちがたっぷり隅々まで吸ったら完成です。

トップバッター（ごま油）　（お酒）　（みりん）　（醤油）　（砂糖）　（和風だし）

切り干し大根

優しさをおかずから感じるとはこのことか、とうなずきたくなる自分に出会えた、私の副菜第1位の切り干し大根です。好きで好きで、作れると知った自分はどれだけうれしい顔してたか思い出したいです。

切り干し大根、油揚げ、椎茸、人参を何があっても入れます。お財布とキーケースくらい大切な当たり前な具材たちになっています。

油揚げ、人参、椎茸はもちろん細切りにしていきます。カサカサ固まった切り干し大根の形を参考に細々と切ってください。切り干し大根は水でしっかり今までの汚れを洗ってあげましたら、水に15分は全身浴させてあげましょう。

しっかり水分を拭き取りましたら、オリーブオイルを入れたフライパンで最初に炒めます。「油を吸ったな、切り干し大根」とつぶやけたら、遅れて合流として、油揚げ、人参、椎茸を全て入れます。

お水をペットボトル1本分入れ、和風だし(カサカサ)をこれくらい入れたら気持ちいいよねと入浴剤を入れる感覚で入れ、お醤油とみりんをいつもより豪快に顔を2回洗えるくらいかぶせてあげます(水を越すことはない)。色味は濃い茶色です。

そこへ、お酒を寄り道程度の顔出しでチョロッと入れ、お砂糖も頭の上をサラッと通過したようにさりげなく入れます。

最後にお塩を誰よりも少なく入れ、汁気が見えなくなるまで、15～20分耐えます。汁気を具材がすっかり奪ったらできあがりです。

トップバッター(オリーブオイル)

(和風だし)

(醤油)

(みりん)

(お酒)

(砂糖)

(塩)

そっと支えてくれる縁の下の力持ち

汁物のはなし

いらっしゃいませ

どんなに体調不良な自分でも
優しく体内で力を貸してくれる 汁物たちのお話です

どうしたって顎を使いたくない時も
風邪気味な自分を応援したい時も
寒くて芯から節々が冷えた時も
汁物はいつだって私の味方です

手間をかけなくたって 底力を出してきますが
手間をかけた分 ちゃんとお返しに健康もくれる 律儀な汁物です

台所での手動かしが面倒臭くてたまらない時
汁物に何度助けられたか分かりません

お味噌汁は、365日私の背中を押してくれる
影のヒーローです

つけ汁は、麺類に旨味の服を着せて
私をすばやく喜ばすゴマすり上手です

スープは、ダイエット中の私と強く
戦ってくれた戦友です

もしもある日助けが欲しいなら
どうぞお気軽にご参考ください

どんなに忙しくてもこれだけは毎日食べる

お味噌汁

身体に大の栄養を入れたいなら、お味噌汁をお飲みください。

健康にも美にも両肩から手助けしてくれる、ヒーロー中のヒーローです。

ちょっと手がかかるけど、手がかかる分、優しさと可愛げのある味を出すのがアゴだし。この前まで海を知っていた飛魚が化石のような姿になったアゴ焼きを使って、だしをとっていきます（炭火焼のアゴがおすすめになります）。

アゴは、個人レッスンを好む性格なのか単独調理をしてあげます。

お鍋に足のつかないプールを作るような気持ちで水を入れます。そこに焼きアゴ１匹、小さければお友達として２匹入れてください。

その水に１～２時間くらい海の記憶を知らせるよう泳がせます（泳いでいるというよりはただ沈んでいる）。泳がせば泳がすほど、ふやけ代わりに色を残します。

だしがじっとりと当たり前に濃厚になりますので 12 時間放置してもいいです。

好き好きに泳がせたら、気づかれないように火をつけ、弱火でさりげなく水を温めます。散々プールに浸かって冷えた焼きアゴたちの鍋から、温泉のように湯気が出たらすぐさま火を止めます。

今度はあったかいお風呂に全身浴していただき、芯から温まっていただきます。

15 分くらいしたらついにだしと焼きアゴを分けます。ザルにタオルのつもりでキッチンペーパーを広げ、ザルの下には新しいお鍋を用意してください。

焼きアゴと温泉だっただしを離れ離れにしたら、焼きアゴの体についていたお宝色にかすかになっているはずです。これをお味噌汁のだしとしてお使いください。

たくさんだしを取った方は冷蔵庫にお寝かせして、様々な和食にお使いください。

麺にサラッと美味しいを羽織らせる

つけ汁

お蕎麦に是非紹介したいつけ汁友達を作ります。
毎日、万が一お蕎麦を食べてる方がいるなら
たまの風変わりとしておすすめです。
集まってもらったのは、きのこ軍団から
椎茸、ぶなしめじ、舞茸、1人参加の長ネギ、
あとは豚のバラ肉にもお願いします。
まずは鍋にごま油を入れ、チューブだっ
て本物だっておかまいなしで、にんにくと
生姜をブローチをつけてあげるつもりで、
ブチ、ブチと入れましたら、豚肉をすぐに
入れて先に遊ばせます。
肉が楽しんだ顔を出したら、全てのお野
菜を集団的に鍋に押し入れて、ガサガサと
なんの悪さもしてない野菜たちを窮屈に、
私たちの考えだけで炒めていきます。
すると窮屈感が驚くほどなくなり、みなさん
自分の居場所に安心したような顔をしてきます。
安心していたと思いきや、そこへ七味唐辛子を自分
の好みで入れ、具材たちを盛大に驚かせます。
七味唐辛子の粉が少なからずパサパサ1、2粒ついたら、味
方の代表めんつゆとお水を頭すら見えなくなるほど入れ、心残りのみり
んをサラサラと入れます。今見ている量が、つゆの量になります。
「これじゃ具材が顔を出してくる恐れがあるぞ」という心配おさまらない方は、
単に水とめんつゆとみりんを味を見ながらお誘い下さい。
味を確認することは堂々としていいのです。自分の味を舌で冒険しながら、見つ
けたらこれだ！とお喜びください。
つけ汁なので少し濃いほうが、蕎麦は仲良くなれますからご安心ください。汁が
優しく温まり、その間にお蕎麦を茹で、お皿に山をお作りください。
サプライズでつけ汁が登場したとき、真のテカリを見せる蕎麦がいるはずです。

ダイエットを誰よりもサポートしてくれる

スープ

ダイエット中をあらゆる角度から支える土台の力持ちが、私にとってのスープです。

トマト色をしているからってトマトスープと人は呼びますが、キャベツだって玉ねぎだってきのこだってセロリだって人参だって協力してくれてます。

スープに浸かってもらう野菜は自分好みを主張できる場でもあります。自分には緑の野菜がきっと足りてないなと思うなら優先させたっていいです。自分好みの寄せ集めスープをお作りください。

まず野菜はどう歯向かったって水分と熱さでヨレてくるので、お好きにしなりを覚悟で切ります。もし手に空きがある方は、少しのオリーブオイルで玉ねぎを茶色になるまで炒めていてください。

鍋に水をスープにしたい量入れていただいたら、コンソメカサカサを入れます。水が薄い夕焼け顔をしたらいい度合いです。

そこに炒めに炒めた玉ねぎと他の野菜も全て入れます。硬い野菜たちが優しく微笑んだようにしなり始めたら、ホールトマトという面長トマトが入っている缶があります。それを1缶全て入れてください(カットトマトでもいい)。

そしたら起こさないようにゆっくりかき混ぜてください。面長トマトを鍋内で細かくしていく気持ちです。落ちついていた夕焼け景色が一変して真っ赤な灼熱地獄が見えているでしょうか。最後に塩胡椒を爽やかに手首を6回ほど振りましょう。ですがここで信じるのは、私ではなくご自分の舌です。味見をしてスープに向き合えたら、できあがりです。

カレンの台所

CAST&STAFF

鶏の唐揚げ

〈登場人物〉

鶏もも肉、にんにく、生姜

〈スタッフ〉

醤油、酒、片栗粉、小麦粉、
塩胡椒、鶏ガラスープの素、
ごま油、オリーブオイル、
ビニール袋、キッチンペーパー
（以下、登場順）

豚の生姜焼き

〈登場人物〉

豚肉、玉ねぎ、生姜、キャベツ、ミニトマト

〈スタッフ〉

醤油、酒、みりん、砂糖、
ハチミツ、マヨネーズ、
オリーブオイル、ビニール袋

サバの味噌煮

〈登場人物〉

サバ、生姜

〈スタッフ〉

味噌、醤油、酒、砂糖、
キッチンペーパー、クッキングペーパー

エビチリ

〈登場人物〉

海老、長ネギ、生姜

〈スタッフ〉

ケチャップ、豆板醤、酒、酢、
砂糖、塩胡椒、片栗粉、ごま油

ハンバーグ

〈登場人物〉

合いびき肉、玉ねぎ、卵、
お麩、大根、大葉、
サニーレタス、ミニトマト

〈スタッフ〉

醤油、酒、みりん、
砂糖、塩胡椒、バター、
マヨネーズ、オリーブオイル

グリーンカレー

〈登場人物〉

鶏胸肉、パプリカ、エリンギ、
竹の子、バジル

〈スタッフ〉

グリーンカレーペースト、ココナツミルク、
ココナツシュガー、鶏ガラスープの素、
牛乳、ナンプラー

中華丼

〈登場人物〉

豚バラ肉、玉ねぎ、椎茸、
イカ、白菜、人参、
うずらの卵、竹の子、ごはん

〈スタッフ〉

醤油、酒、砂糖、
鶏ガラスープの素、塩胡椒、
オイスターソース、片栗粉、ごま油

ロールキャベツ

〈登場人物〉

キャベツ、豚ひき肉、玉ねぎ、
卵、お麩、トマト缶

〈スタッフ〉

ケチャップ、コンソメ、塩胡椒、
生クリーム、爪楊枝

ブリ大根

〈登場人物〉

ブリ、大根、生姜、ゆずの皮

〈スタッフ〉

醤油、みりん、
砂糖、和風だしの素、
クッキングペーパー

キーマカレー

〈登場人物〉

合いびき肉、玉ねぎ、人参、
きのこ、にんにく、生姜

〈スタッフ〉

カレー粉、醤油、
ウスターソース、ケチャップ、コンソメ、
ハチミツ、緑の葉（パセリ等）、
オリーブオイル

しゅうまい

〈登場人物〉

豚ひき肉、玉ねぎ、椎茸、生姜、
豆腐、スイートコーン、レタス

〈スタッフ〉

しゅうまいの皮、醤油、片栗粉、
塩胡椒、鶏ガラスープの素、ごま油

鮭の南蛮漬け

〈登場人物〉

鮭、玉ねぎ、赤ピーマン、
緑ピーマン、人参

〈スタッフ〉

醤油、みりん、酢、砂糖、
塩、片栗粉、和風だしの素、
オリーブオイル

すき煮

〈登場人物〉

牛肉、玉ねぎ、長ネギ、椎茸、
白滝、焼き豆腐、温泉卵

〈スタッフ〉

醤油、みりん、酒、
砂糖、和風だしの素

麻婆豆腐

〈登場人物〉

豚ひき肉、木綿豆腐、長ネギ、
にんにく、生姜、糸トウガラシ

〈スタッフ〉

醤油、酒、甜麺醤、
砂糖、片栗粉、
鶏ガラスープの素、ごま油

ビビン麺

〈登場人物〉

素麺、キムチ、キュウリ、
ハム、卵黄、韓国海苔

〈スタッフ〉

コチュジャン、醤油、酢、
砂糖、ごま油

カニクリームコロッケ

〈登場人物〉

カニカマ、コーン、玉ねぎ

〈スタッフ〉

牛乳、バター、小麦粉、
溶き卵、パン粉、コンソメ、
塩胡椒、オリーブオイル

肉じゃが

〈登場人物〉

牛肉、じゃがいも、
人参、玉ねぎ、インゲン

〈スタッフ〉

醤油、酒、みりん、砂糖、
和風だしの素、オリーブオイル、
アルミホイル

豚の角煮

〈登場人物〉

豚バラブロック、ネギ、生姜、
茹で卵、青菜

〈スタッフ〉

醤油、みりん、酒、
ハチミツ、圧力鍋

鶏のさっぱり煮

〈登場人物〉

手羽元、にんにく、
生姜、ほうれん草

〈スタッフ〉

醤油、酢、酒、
みりん、砂糖、
キッチンペーパー

スペアリブ

〈登場人物〉

スペアリブ、にんにく

〈スタッフ〉

醤油、酒、
みりん、ハチミツ、
オリーブオイル、圧力鍋

ピーマンの肉詰め

〈登場人物〉

ピーマン、合いびき肉、
玉ねぎ、お麩、卵

〈スタッフ〉

酒、塩胡椒、片栗粉、マヨネーズ、
ケチャップ、中濃ソース、オリーブオイル

ゴマ担々麺

〈登場人物〉

合いびき肉、麺、
長ネギ、チンゲンサイ

〈スタッフ〉

醤油、酢、豆板醤、
練りごま、ラー油、
砂糖、鶏ガラスープの素、
白ごま、無調整豆乳、ごま油

チキン南蛮

〈登場人物〉

鶏もも肉、玉ねぎ、
たくあん、茹で卵

〈スタッフ〉

醤油、酢、溶き卵、小麦粉、
マヨネーズ、砂糖、塩胡椒、
牛乳、レモン汁、
オリーブオイル、キッチンペーパー

とんかつ

〈登場人物〉

豚バラ肉、チーズ、大葉、
キャベツ、トマト

〈スタッフ〉

溶き卵、パン粉、塩胡椒、
オリーブオイル、キッチンペーパー

ビーフストロガノフ

〈登場人物〉

牛肉、玉ねぎ、マッシュルーム、
ぶなしめじ、トマト缶

〈スタッフ〉

コンソメ、塩胡椒、ケチャップ、
中濃ソース、バター、生クリーム、
サワークリーム

春巻き

〈登場人物〉

豚ひき肉、竹の子、ニラ、人参、
椎茸、春雨、生姜

〈スタッフ〉

春巻きの皮、醤油、酒、みりん、
砂糖、オイスターソース、片栗粉、
鶏ガラスープの素、ごま油、
オリーブオイル

ドレスオムライス

〈登場人物〉

卵、ウインナー、玉ねぎ、
ごはん、パセリ

〈スタッフ〉

ケチャップ、中濃ソース、
ウスターソース、コンソメ、
塩胡椒、小麦粉、砂糖、塩、
赤ワイン、バター、生クリーム

ラザニア

〈登場人物〉

ラザニア、玉ねぎ、人参、
合いびき肉、トマト缶、にんにく、チーズ

〈スタッフ〉

赤ワイン、ケチャップ、ウスターソース、
コンソメ、小麦粉、バター、
牛乳、ローリエ、オリーブオイル

アクアパッツァ

〈登場人物〉

鯛、あさり、
冷凍ムール貝、ミニトマト、
にんにく、ブラックオリーブ、
ケーパー、タイム

〈スタッフ〉

塩、白ワイン、オリーブオイル

あとがき

終わりましたか？

カレンの台所はここでお別れですが
物語はずっと、ずっと続きます

これからは毎日毎日
新たな食材とあなた様で
次から次へと舞台を作っていってください

たまにはとんでもなく舌が喜ぶ味の日があったり
一体何をどこで間違えたんだ、なんて味の日もあったり
感情がピクリとも変わらない味があったり
それでいいんです

それが長年付き合っていく
証になるのでしょう

気ままに
どこまでも
自由に

何よりも
感覚を大切に
元気な自分へと歩いていくだけです

何度も読むものでもないですし
これからは自分の味をたくさん探していただけたら
心から幸せです

自分の味という名の道を作って行きましょう

この本はどうか
台所の片隅にでも置き去りにしてください

滝沢カレン

滝沢カレン（たきざわ・かれん）

1992年東京生まれ。
2008年、モデルデビュー。現在は、モデル以外にもMC、女優と幅広く活躍。
主なレギュラー出演番組に『全力！脱力タイムズ』（フジテレビ）、『沸騰ワード10』（日本テレビ）、『伯山カレンの反省だ!!』（テレビ朝日）、『ソクラテスのため息～滝沢カレンのわかるまで教えてください～』（テレビ東京）など。

カレンの台所

2020年4月13日 初版発行
2021年9月 6 日 第10刷発行（累計20万5千部※電子書籍を含む）

文・料理	滝沢カレン
イラスト	よしもとなな
デザイン	井上新八
撮影	三輪友紀（株式会社スタジオダンク）
調理補助	山崎千裕・桑原りさ（株式会社Vita）
ヘアメイク	chiSa（SPEC）
編集協力	渡辺有祐・日根野谷麻衣・髙橋敦（株式会社フィグインング）
DTP	丸橋一岳（デザインオフィス・レドンド）
校正	戸羽一郎
営業	津川美羽（サンクチュアリ出版）
広報	岩田梨恵子・南澤香織（サンクチュアリ出版）
制作	成田夕子（サンクチュアリ出版）
編集	大川美帆（サンクチュアリ出版）
制作協力	スターダストプロモーション

発行者　鶴巻謙介
発行所　サンクチュアリ出版
113-0023　東京都文京区向丘2-14-9
TEL 03-5834-2507　FAX 03-5834-2508
http://www.sanctuarybooks.jp
info@sanctuarybooks.jp

印刷　株式会社シナノパブリッシングプレス

購入者限定特設サイト

イベント情報や、
本書の一部レシピ解説などを随時更新予定です。

（※このサイトは購入者限定サイトとなりますので、
SNSやブログ等での公開はお控えください）